Cahiers libres

DU MÊME AUTEUR

L'Islamisme au Maghreb : la voix du Sud, Karthala, Paris, 1988 (et Payot, Paris, 1995).

L'Islamisme en face, La Découverte, Paris, 1995 (2ᵉ édition de poche actualisée : La Découverte, Paris, 2002).

Modernizing Islam. Religion in the Public Sphere in Europe and the Middle East (ouvrage dirigé par John Esposito et François Burgat), Hurst and Company, Londres, 2002.

La Libye (en collaboration avec André Laronde), PUF, coll. « Que sais-je ? », Paris, 2003.

Le Yémen vers la République (1900-1970). Iconographie historique du Yémen (ouvrage dirigé par François Burgat), CEFAS, Beyrouth/ Sanaa, 2004.

François Burgat

L'islamisme
à l'heure
d'Al-Qaida

Réislamisation, modernisation, radicalisations

La Découverte

9 *bis*, rue Abel-Hovelacque
75013 Paris

ISBN 2-7071-4679-X

Si vous désirez être tenu régulièrement informé de nos parutions, il vous suffit d'envoyer vos nom et adresse aux Éditions La Découverte, 9 *bis*, rue Abel-Hove-lacque, 75013 Paris. Vous recevrez gratuitement notre bulletin trimestriel *À La Découverte*. Vous pouvez également retrouver l'ensemble de notre catalogue et nous contacter sur notre site **www.editionsladecouverte.fr.**

Introduction

« Non, à tout prendre, je préfère que les Frères musulmans soient cooptés par les militaires égyptiens qui gardent l'essentiel du pouvoir plutôt que de les voir gagner des élections libres, instituant un Tariq Ramadan comme ministre de la Culture. [...] Je soutiens donc le maintien des dictatures les plus éclairées possibles — voire pas éclairées du tout — en Égypte et en Arabie saoudite plutôt que l'application, dans ces régions du monde, des principes démocratiques qui, dans l'immédiat, ne seraient que porteurs de désordres et de violence. »

Alexandre ADLER, essayiste français, 2004 [1].

« On se rappelle l'homme qui a vu l'homme qui a vu l'homme... qui a vu l'ours qui a mangé le facteur, et qui n'a pas eu peur. Un peu de la gloire du dernier rejaillit sur le premier. Ici, c'est de la fragrance sulfureuse qu'hérite celle ou celui qui connaît une personne dont un ami parle parfois en bien de quelqu'un qui a un jour par inadvertance serré la main à un proche de Tariq Ramadan. C'est devenu comme un passe-partout pour qui veut dénoncer une initiative politique, une prise de position, un réseau, ou encore une revue, un courant, ou encore un mot d'ordre... ramadanisme, ramadanien, ramadanisante. Il est inutile d'en dire plus. [...] Et ce n'est pas de la part de celles et de ceux qui se sont livrés à la critique de son travail que le simple nom de l'intellectuel genevois apparaît ainsi comme une injure ou comme un chiffon rouge. Non. C'est du côté de celles et de ceux qui prennent l'ignorance pour une vertu — ou pour la nécessaire conséquence d'un mépris militant. »

Laurent LÉVY, militant antiraciste français, 2005 [2].

« Ben Laden s'est montré précis en disant à l'Amérique pour quelles raisons il entrait en guerre. Aucune d'entre elles n'a quoi que ce soit à voir avec notre liberté (*freedom*), notre indépendance (*liberty*) et notre démocratie. Elles ont en revanche tout à voir avec les politiques et les menées des États-Unis dans le monde musulman. »

Michael SCHEUER, ancien agent de la CIA, 2004 [3].

---

1 *Le Figaro*, 6 septembre 2004.
2 *Socialisme international*, printemps 2005.
3 Michael SCHEUER, *Imperial Hubris. Why the West is Loosing the War on Terror*, Brassey's Inc., Washington DC, 2004 (avant de démissionner de la CIA, Scheuer signait du pseudonyme « Anonymous »).

Au cœur du malentendu qui nourrit les tensions entre l'Europe, les États-Unis et le monde musulman, réside une commune difficulté occidentale : celle de faire une appréciation rationnelle et raisonnée du rôle politique d'abord, intellectuel et éthique ensuite, des courants de l'« islam politique », de l'« islamisme » ou de l'« islamisme radical », trop communément considérés comme autant d'obstacles à la modernisation consensuelle et à la coexistence pacifique des tribus du monde.

Depuis le sommet antiterroriste fondateur de Charm el-Cheikh en mars 1996, les États-Unis, l'Europe et Israël, mais également les régimes autoritaires et une fraction des élites intellectuelles arabes ont adopté à cet égard un langage et une stratégie curieusement similaires. Moins de dix années après la chute du Mur de Berlin, le spectre du « fondamentalisme islamique » est bel et bien devenu l'ennemi public mondial numéro un.

« S'ils n'étaient pas noyautés par les intégristes d'Abu Mus'ab al-Zarqawi », nous suggère en quelque sorte la rhétorique des puissants de l'heure, « les Irakiens refuseraient-ils l'ouverture démocratique que George Bush est venu leur offrir ? » « Si les militants du Hamas et autres jihadistes n'avaient pas corrompu l'esprit de leurs concitoyens, Tchétchènes et Palestiniens persisteraient-ils à bouder la paix de Vladimir Poutine ou celle d'Ariel Sharon ? » Si l'on parvenait enfin à interdire à Tariq Ramadan toute expression publique, n'en serait-ce pas fini non seulement de ces voiles féminins qui déparent les allées modernistes de la République française, mais tout autant de ces « tournantes » criminelles et, pourquoi pas, de l'insécurité des cages d'escalier dans les banlieues ? En bref, si Ibn Taymiyya (dans le Proche-Orient du XIVe siècle) ou Sayyid Qutb (dans l'Égypte des années 1950) n'avaient pas « inventé » l'« islamisme radical », le monde tout entier ne goûterait-il pas enfin à cette félicité démocratique, laïque, moderne et consensuelle qui paraît aujourd'hui inaccessible ?

L'irruption récente de la « génération Al-Qaida » a rendu plus passionnelle encore la lecture du phénomène. Il ne s'agit évidemment en aucune manière de minimiser la nécessaire condamnation de ses manifestations terroristes. Mais nous voudrions montrer ici que la lecture qui en est faite est trop uni-latérale, trop simplificatrice et trop émotionnelle pour être ration-nelle et donc *efficace* pour permettre d'y mettre fin. Et que, en dressant autant de nouveaux murs là où il faudrait en fait, plus que jamais, lancer de nouveaux ponts, nous accélérons, au lieu de l'inverser, la spirale de la radicalisation qui nous menace.

Le piège des catégories

La connaissance et la gestion rationnelle de notre relation avec les « islamistes » souffrent avant tout de la fragilité extrême des catégories que nous avons construites pour la représenter. Le mode de pensée des analystes, stratèges et autres « experts » se cantonne aujourd'hui, de plus en plus manifestement, à l'appré-ciation (optimiste pour ceux-là, pessimiste ou réaliste pour d'autres) des performances et de l'avenir respectifs des terroristes islamistes et de ceux qui, à Washington ou à Paris, à Alger ou à Riyad, mettent une ardeur identique à les combattre.

La logique de la criminalisation a pris irrésistiblement le pas sur celle de l'évaluation et de l'analyse. Les démocraties et autres défenseurs « de la liberté » ou « de la tolérance », nous explique-t-on depuis le 11 septembre 2001, seraient confrontés à la menace terroriste de l'« intégrisme » musulman. Est-ce pourtant bien de cela qu'il s'agit ? Ces pages entendent inviter à interroger les fondements politiques et idéologiques de ce quasi-unanimisme mondial de la « guerre globale contre la terreur [4] ». Et à prendre la mesure des conséquences désastreuses que ses adeptes zélés sont en train d'engendrer : la généralisation et la radicalisation de cette révolte qu'ils nous disent avoir la prétention d'« éradiquer ».

---

4   Depuis juin 2005, les conseillers de Condoleezza Rice ont suggéré d'adopter une nouvelle terminologie : le « Save » (*struggle against violent extremism*, lutte contre l'extrémisme violent) devrait remplacer le « Gwot » (*global war on terror*, guerre globale contre la terreur) lancé au lendemain du 11 septembre.

La violence à laquelle l'Occident est confronté est-elle seulement « idéologique » et « religieuse » ? Prend-on toujours le temps de faire la différence essentielle entre sectarisme religieux et contre-violence politique, même si l'un et l'autre se conjuguent parfois, sans pour autant se confondre ? Si condamnable qu'elle puisse être, la théologie de guerre, élaborée sous la torture nassérienne par Sayyid Qutb, est-elle véritablement la « cause » de la radicalisation islamiste ou seulement le vocabulaire d'une révolte dont les motivations seraient singulièrement plus profanes ?

Les puissances occidentales se disent aujourd'hui « agressées dans leurs valeurs » par la « haine de la démocratie et de la liberté » qui animerait leurs agresseurs au fur et à mesure que ceux-ci « basculeraient dans l'islam radical ». Mais la révolte anti-occidentale apparaît bien plutôt comme une réponse relativement prévisible à l'unilatéralisme, l'égoïsme et l'iniquité de politiques conduites, directement ou par dictateurs interposés, dans toute une région du monde. À la tête de l'« Occident impérial » — où ils ont rejoint puis dépassé l'Europe coloniale et la Russie —, les États-Unis récoltent aujourd'hui les fruits amers des politiques parfaitement irresponsables qu'ils conduisent depuis plusieurs décennies dans le tiers monde en général et dans le monde musulman en particulier : dans ces pays, les milliers de victimes de ces politiques, tout aussi innocentes que celles du World Trade Center, et le maintien depuis des décennies de dictatures liberticides ont nourri dans les populations un sentiment de désespoir, propice aux formes de révolte les plus extrêmes.

Au-delà de la question d'une violence « islamiste », on voit bien que, ce qui est en jeu, c'est la difficulté à admettre la très banale résurgence du lexique politique islamique dans les sociétés de culture musulmane et le fait qu'une culture non occidentale prétende grignoter le vieux monopole occidental d'expression de l'universel. Entre les « intellectuels négatifs » dénoncés hier en France par Pierre Bourdieu pour leur implication dans les plus basses œuvres de la junte algérienne [5] et les « intellectuels écrans »

---

5   Pierre BOURDIEU, « L'intellectuel négatif », *Liber*, Paris, janvier 1998.

du Sud qui masquent aujourd'hui au public occidental — qu'ils veulent séduire ou instrumentaliser — la réalité des sociétés dont ils se prétendent les seuls ambassadeurs, la médiation scientifique du monde de l'Autre est-elle encore en mesure de jouer son rôle ?

Depuis le début des années 2000, la communauté internationale — dominée de fait par l'hyperpuissance américaine — prétend promouvoir dans le monde arabe des réformes « culturelles » et « éducatives » dont on peut légitimement se demander si elles ne servent pas plus à criminaliser les manifestations de la résistance à ses propres dysfonctionnements qu'à trouver une solution réaliste et équitable à ces derniers. Face aux déséquilibres de l'ordre du monde, la tentation de criminaliser toute introspection critique est-elle vraiment la meilleure des solutions pour prévenir la confrontation ?

Sortir des impasses de la « guerre globale contre la terreur »

L'objet de ce livre est de tenter d'apporter une contribution pour sortir de ce type d'impasse. Près de vingt ans après avoir proposé, dans *L'Islamisme au Maghreb*, au terme d'un long investissement du terrain maghrébin, les premiers jalons d'un « mode d'emploi » intellectuel et politique de l'épouvantail « islamiste », dix ans après avoir, dans *L'Islamisme en face*[6], au retour d'un séjour de cinq ans au Machrek, élargi l'assise de cette analyse et précisé ses termes, je reviens ici sur la lancinante question qui ronge la relation de l'Occident avec un monde musulman devenu désormais une partie de lui-même. Nourrie d'un séjour de six années au Yémen, cette approche intègre désormais une partie des enseignements d'une Péninsule arabique où l'empreinte coloniale a été moins directe qu'ailleurs dans le monde arabe, mais qui constitue néanmoins — comme l'ont montré les événements du

---

6 François BURGAT, *L'Islamisme au Maghreb : la voix du Sud*, Karthala, Paris, 1988 (et Payot, Paris, 1995) ; *L'Islamisme en face*, La Découverte, Paris, 2002 (3ᵉ édition).

11 septembre — un terrain dont l'étude est essentielle pour maîtriser l'objet islamiste.

Les rééditions de *L'Islamisme en face* (la dernière en date en 2002) avaient permis d'entreprendre le travail de mise à jour des dynamiques intellectuelles ou politiques consacrées ou accélérées par les attentats du 11 septembre. Ce troisième retour sur l'objet islamiste n'entend pas seulement intégrer des évolutions factuelles, mais poursuivre une double historicisation : celle des hypothèses énoncées dès le milieu des années 1980, bien sûr et d'abord, et celle des comportements « islamistes » dont l'observation les a nourries.

Ces hypothèses, proposées dans mes livres précédents — auxquels je renvoie pour l'exposé explicite de leur première formulation —, sont demeurées au cœur de la présente démarche. Pour les confronter à la fois aux nouveaux terrains étudiés et à l'épreuve du temps, je tenterai de prendre appui sur elles sans en répéter pour autant plus que la substance. Même si elles sont désormais précisées et enrichies brillamment par de jeunes collègues — à qui cet ouvrage doit beaucoup —, elles sont, il est vrai, encore suffisamment loin d'être banalisées pour qu'il soit superflu d'en rappeler la trame.

Dans l'espace et dans le temps, c'est seulement, on le verra, la multiplication de ces postes d'observation qui permet de contourner le discours d'évidence et de passion sur lequel reposent pour l'heure les stratégies occidentales — aveugles et donc si dangereusement contre-productives — de la terrifiante « guerre globale contre la terreur ».

Dans cet ouvrage, je souhaite tout d'abord rappeler la distinction essentielle entre un phénomène essentiellement identitaire, le regain de la popularité du « parler musulman », et les mille et une façons qu'ont ses adeptes d'utiliser en politique, comme en société, ce lexique « réhabilité » (chapitre 1). Pour replacer la mobilisation islamiste dans des contextes qui, en un siècle, ont beaucoup évolué, je propose ensuite de distinguer les trois grandes séquences au cours desquelles (avant et après les indépendances) elle s'est déployée (chapitre 2). On explorera ensuite les tensions

entre spécificités nationales et phénomènes de transnationalisation, tensions qui permettent de mieux comprendre à la fois la
grande diversité du champ islamiste et les forces qui affectent sa
dynamique (chapitres 3 à 5). Le chapitre 6 s'emploie à démonter
plus précisément les ressorts de la radicalisation qui est à l'origine
de l'émergence d'Al-Qaida dans ce champ, radicalisation dont il
importe de distinguer les dimensions « sectaire » et « politique ».
Le chapitre 7 examine les trajectoires de quatre hommes parmi
les plus emblématiques de cette mouvance radicale, de l'idéologue
Sayyid Qutb à l'exécutant pilote du 11 septembre, Mohamed Atta.

Pour tenter de comprendre pourquoi l'émotion tend souvent à
priver l'analyse de sa nécessaire rationalité, le chapitre 8 rappelle
que les obstacles que doit surmonter la lecture du phénomène islamiste ne sont pas seulement liés aux peurs et aux malentendus
hérités du passé colonial occidental : ils sont également
« exploités » très volontairement aujourd'hui par tous ceux qui
ont intérêt à discréditer les résistances exprimées avec le lexique
islamiste. Dans le chapitre 9, enfin, on passe en revue les contradictions de l'unilatéralisme de la « riposte » occidentale consécutive au 11 septembre, ainsi que les effets contre-productifs du tout
sécuritaire qui se développe au détriment de ce que devrait être
une réponse politique véritablement efficace à ces menaces que
l'« islamisme radical » — et bien d'autres acteurs de la scène internationale avec lui — fait peser sur la paix mondiale.

Remerciements

L'Islamisme à l'heure d'Al-Qaida a vu le jour à Aix-en-Provence.
Il doit donc beaucoup aux savoirs, à l'expérience et aux contre-
regards de collègues du CNRS, mais également des étudiants de
l'option « Monde arabe » du master de science politique comparée
de l'Institut d'études politiques d'Aix-en-Provence. Il doit tout
autant à la patience ou à l'impatience de mes proches. D'Alix à
Sylvie en passant par Samy et tous les autres, de Camille qui
découvre les « barbus de son père », à Marie qui les relit depuis

longtemps, toutes et tous savent ce que je leur dois. Que James, Yahya et les collègues de l'Oxford Centre for Islamic Studies soient également remerciés pour avoir fait eux aussi l'impossible : réchauffer le printemps pluvieux d'Oxford.

C'est enfin, et peut-être « par-dessus tout », sur les hauts plateaux du Yémen, au Centre français d'archéologie et de sciences sociales de Sanaa ou sur les routes de la Péninsule que, pendant six années, ce livre a mûri.

Pour le meilleur, nombreux sont les habitants ou les visiteurs de cette région qui font intimement partie de ce travail : Pascal Ménoret, qui l'a nourri de ses extrapolations saoudiennes fructueuses ; Éric Vallet, qui l'a souvent sorti de ses ornières, pas seulement stylistiques ; Laurent Bonnefoy, pour ses pistes toujours éclairantes ; Stéphane L., Marie et Ségolène, Laure, Houda Ayoub et ses vivifiants étudiants de l'ENS, Ibtissam et son impertinence poétique, Mohamed Sbitli aussi, ainsi que trop d'amis yéménites, du *qadhi* 'Ismail al-Akwa à Mohamed Qahtân en passant par Nassir Yahya et bien d'autres.

François Gèze, enfin, est devenu depuis longtemps bien plus qu'un éditeur. Et tous les autres doivent savoir que... non, je ne les ai pas oubliés. Pour le meilleur, encore, je dois beaucoup à ceux « qui ont peur du double discours de Tariq Ramadan » et ont le privilège de nous le répéter en France, matin et soir, aux heures de grande écoute, sur tous les plateaux des chaînes ou stations du service public ou à la une des magazines qui leur font écho. Sans eux, je le confesse, j'aurais sans doute pris moins de plaisir à écrire ce livre pour pouvoir leur dire, au bas de cette page, mon affectueuse compassion.

ENSUES-LA-REDONNE, SEPTEMBRE 2005.

1

La matrice identitaire
du « parler musulman »

> « En économie, quelqu'un qui dispose déjà de fonds n'en emprunte pas avant d'évaluer si ce dont il dispose est suffisant ou non. De la même manière, un État n'importe pas avant de faire le bilan de ses ressources financières et de ses matières premières. Le capital spirituel, les ressources intellectuelles et l'héritage du cœur ne devraient-ils pas être traités comme les biens et comme l'argent de la vie quotidienne ? Bien sûr que si ! Mais, dans ce monde soi-disant "islamique", les gens ne tiennent pas compte de leur propre héritage spirituel ou intellectuel avant de songer à importer principes et modèles, systèmes et lois de l'autre bout du monde ! »
>
> Sayyid QUTB, *La Justice sociale dans l'islam*, 1948.

> « Un islamiste, c'est quelqu'un qui n'est pas satisfait de la société telle qu'elle est, qui veut que la société soit meilleure. [...] Dans certains cas, par exemple, c'est quelqu'un qui veut pouvoir dire non à l'Amérique. »
>
> Fahd, vingt-deux ans, employé à Riad, 2005 [1].

En l'absence d'une convention terminologique, les mots n'ont évidemment pas le même sens selon celui qui les emploie. Au terme d'une dangereuse dérive émotionnelle, l'appellation « islamisme », qui occupait au XIXᵉ siècle la place de la référence à l'« islam », a pris, au fil des années, une connotation quasi criminelle : pour les moins vigilants — ou pour les plus entreprenants — des médiateurs de ce segment du puzzle humain de la planète, on peut être aujourd'hui « soupçonné d'islamisme » ou être un « islamiste présumé ».

---

1 Cité par Pascal MÉNORET, « Le cheikh, l'électeur et le SMS. Mobilisation électorale et pratiques de vote en Arabie saoudite », *Intercontinentales*, nº 1, novembre 2005.

L'hégémonie conjoncturelle d'une terminologie de guerre n'aide évidemment pas à définir sereinement les contours d'un phénomène complexe. Relevons tout de même le défi : ni la diabolisation de ses adeptes ni le penchant de ces derniers pour la référence divine ne sauraient nous empêcher d'appréhender, avec les très universels instruments des sciences sociales, les ressorts d'une mobilisation parfaitement humaine. Envers et contre le flou des appellations, affirmons donc le droit et la possibilité d'objectiver l'« islamisme », de rationaliser sa connaissance et de fonder, politiquement et éthiquement, les réponses que, le cas échéant, sollicitent les nouveaux partenaires obligés de notre relation au monde.

Leur agenda n'est pas si hermétique ou incohérent que cela. Ils entendent certes affirmer leur « droit à parler musulman », et c'est de là que naît une part de leur difficulté à se faire entendre. Mais, pour l'essentiel, derrière le voile de la rhétorique religieuse, ce sont des droits très universels dont ils réclament le plus souvent, en économie ou en politique, localement ou mondialement, la reconnaissance. Et c'est peut-être bien de là que vient la véritable difficulté de l'Occident à les entendre. Précédée d'une formule « islamique », une protestation contre une occupation militaire ici, contre l'absolutisme d'un dirigeant ailleurs, contre les méthodes de la superpuissance américaine enfin, est si facile à disqualifier ! Pour ne pas avoir à reconnaître la légitimité de la contestation de leur hégémonie respective et avoir à partager leur pouvoir, les nantis de la politique mondiale se contentent souvent ainsi de discréditer les résistances auxquelles ils sont confrontés, du seul fait de l'« exotisme » du lexique employé par celles et ceux qui les expriment.

L'islamisme ou le droit de (re)« parler musulman »

Même si, évidemment, elle plonge ses racines dans les quatorze siècles d'histoire musulmane et les réalités ou les mythes d'une longue interaction avec l'Occident, l'explication du phénomène

14

islamiste contemporain peut être circonscrite dans les limites temporelles des cent dernières années.

Il est essentiel, pour y pénétrer, de distinguer deux processus et donc deux niveaux d'analyse : d'une part, les raisons, essentiellement identitaires, pour lesquelles une génération d'acteurs politiques choisit de « parler musulman », c'est-à-dire de recourir de façon privilégiée et parfois ostentatoire à un lexique ou un vocabulaire emprunté à la culture musulmane ; d'autre part, les usages diversifiés que ces acteurs font de ce lexique, chez eux ou dans l'arène Nord/Sud, en fonction de variables à la fois multiples, banales et profanes, qui déterminent leurs différentes revendications et mobilisations politiques.

Intéressons-nous d'abord à la « centralité identitaire » qui caractérise le développement de l'islamisme. Celui-ci est pour l'essentiel l'expression d'un « retour en grâce », d'une réaffirmation de l'ambition universelle du référentiel de la culture islamique. Dans les contextes successifs de la domination coloniale d'abord, des premières affirmations indépendantistes ensuite, de la poussée impériale américaine enfin, on peut le rapporter à la volonté de trois ou quatre générations d'acteurs politiques de réhabiliter le « parler musulman » et de restaurer la légitimité de ce lexique ou, plus largement, du référentiel de leur culture héritée — nous y reviendrons en détail dans le chapitre suivant. Il semble possible de rapporter leurs motivations à une matrice explicative commune. À la question de savoir, en revanche, quel impact l'usage de ce référentiel islamique a eu sur leur comportement, en société ou en politique, dans leur communauté nationale ou sur la scène internationale, il est beaucoup plus difficile, on le verra, de donner une réponse univoque.

Sur l'origine de ce regain de fortune du référentiel islamique en politique, nous avons proposé depuis longtemps des hypothèses dont rien ne nous incite aujourd'hui à nous départir. Le retour en grâce du lexique de la culture musulmane « héritée » nous est apparu comme le corollaire, sur le terrain culturel et symbolique, de la vieille dynamique de « remise à distance » de l'Occident colonisateur. Dans le contexte puis dans le prolongement de l'expansion coloniale des XIXe et XXe siècles, pour contrer la place prise irrésistiblement par le discours et les catégories d'une culture coloniale à la fois importée et largement imposée, une génération a éprouvé le besoin de restaurer la visibilité et la centralité des codes de la culture musulmane héritée.

En cantonnant progressivement les territoires d'expression de la culture religieuse « islamique » (mais avant tout locale et endo-gène) à la sphère privée du statut personnel, l'introduction de la « laïcité » a consacré une sorte de déconnexion entre la culture endogène et la chose publique. Depuis la rive musulmane, ainsi perçue, la laïcité a pu être vécue comme l'instrument d'une forme de dépossession symbolique. L'affirmation des catégories cultu-relles importées s'est en effet inévitablement opérée au détriment des expressions (institutionnelles et normatives, mais également esthétiques et scientifiques) de la culture (musulmane) locale. À l'opposé de la vision occidentale d'une sécularisation permet-tant de faciliter la coexistence d'appartenances religieuses poten-tiellement conflictuelles, elle a été souvent perçue comme le cheval de Troie de la culture de l'occupant. La culture « perdante » s'est trouvée progressivement marginalisée, et interdite en tout état de cause de participer à la production de sens ou à l'expres-sion de valeurs perçues comme universelles ; elle s'est imper-ceptiblement « indigénisée » ou « folklorisée », ses attributs symboliques, dépareillés, ne contribuant plus qu'à souligner l'envahissante et humiliante centralité de la culture occidentale.

Les diverses expressions du désarroi ressenti sous les coups de cette modernisation « exogène » ont été largement décrites par les acteurs eux-mêmes. Le coût social de l'irruption des modèles de consommation et de production étrangers transparaît dans les biographies des acteurs de la confrontation coloniale, aux itiné-raires militants aussi différents que celui de l'Égyptien Sayyid Qutb (1906-1966), exécuté par Nasser, ou celui de l'Algérien Malek Bennabi (1905-1973), demeuré à l'écart de toute logique de confrontation. Dans sa biographie de Qutb, l'historien britan-nique William Shepard montre que cette modernisation, qui a produit « des perdants et des gagnants », a nourri un processus de

différenciation sociale mais aussi une fracture culturelle — les
« effendis » du secteur moderne suivant un style de vie et portant
des vêtements plus « occidentalisés » — très voisine de celle qui a
« jeté les bases de la révolution culturelle iranienne de 1979 [2] ».

Les futurs leaders islamistes, le plus souvent, ne sont pas des
« laissés-pour-compte » de la modernisation économique. C'est
plus l'impact symbolique et culturel que le coût matériel de la
colonisation qui laisse dans leur mémoire politique les traces les
plus profondes. Comme Qutb, Malek Bennabi, le plus emblématique des intellectuels du courant algérien, a évité la paupérisation
économique grâce à son éducation — même si celle-ci ne lui a
pas permis de sortir du ghetto des fonctions réservées aux
« Français musulmans ». Il accorde par ailleurs une grande importance à l'apport retiré de la pensée cartésienne étudiée dans les
écoles du colonisateur. Ses *Mémoires d'un témoin du siècle* [3] permettent toutefois de prendre la mesure de la violence symbolique du
modèle colonial français en Algérie et, partant, de l'importance de
la composante identitaire de la réaction de rejet « islamiste » qu'il
a provoquée.

Bennabi est né en 1905, à la charnière de l'inhumanité infinie de
la guerre de conquête et de la gestation des premières mobilisations indépendantistes. Il a été en mesure de puiser directement
dans la mémoire de ses proches le témoignage du traumatisme de
la débâcle initiale. Lors de la prise de Constantine en 1852, l'une
de ses aïeules est morte, « immolée sur l'autel d'une patrie détruite
pour sauver l'honneur d'une famille musulmane » : le long des
falaises vertigineuses des gorges du Rhummel, les cordes avec
lesquelles les familles voulurent faire fuir leurs filles, souvent,
cédèrent. Dans sa mémoire personnelle, l'affirmation coloniale
s'écrit ensuite, au cours de la première moitié du XXᵉ siècle, sur le
registre d'une double dépossession : dépossession matérielle bien
sûr, tant la paupérisation va être brutale et générale ; dépossess-
sion culturelle et morale ensuite, dans une société condamnée à

---

2   William E. Shepard, *A Child from the Village*, E. J. Brill, Leiden/New York, 2004.
3   Malek Bennabi, *Mémoires d'un témoin du siècle*, Éditions nationales algériennes, Alger, 1965.

s'« indigéniser », son système symbolique étant progressivement réduit à ne servir que de faire-valoir à la modernité de celui de l'occupant.

Les cadres économiques et culturels de la société conquise cèdent un par un devant les modèles importés : « On gardait l'apparence mais on perdait la substance. » À mesure que « l'ordre moral et l'ordre social » se transforment, « l'apparence elle-même commence à changer ». « La société [...] se vulgarise par le haut et se paupérise par le bas. » Même le vêtement masculin subit « cette évolution dégradante » en cédant irrésistiblement la place « au vêtement européen de la friperie de Marseille ». « La ville se fracture » elle aussi « en deux mondes : la vie indigène se rétrécit pour se réfugier dans les ruelles et les impasses de Sidi Rached ». Le registre artistique n'échappe pas à la violence symbolique des innovations importées. Le soir du 14 juillet, sa grand-mère, « en entendant les cuivres, les tambours et la grosse caisse de cette musique dont l'écho se répandait dans la merveilleuse nuit d'été tébessienne sur toute la ville », disait invariablement quelque chose comme : « Que c'est barbare ! » L'enrôlement dans l'armée du vainqueur devient le refuge ultime de ceux, paysans dépossédés ou artisans ruinés, que le système a rejetés à sa marge. « La "clochardisation" gagnait tout. »

Pour le lecteur occidental d'aujourd'hui, cette évocation d'une « évolution dégradante » pourrait faire penser au discours conservateur des élites européennes réactionnaires du XIXe et du début du XXe siècle (et de certains de leurs épigones actuels [4]) vitupérant les bouleversements sociaux et culturels introduits par l'ère moderne. À une différence près, qui est évidemment essentielle : le discours réactionnaire européen était celui d'intellectuels organiques d'un ordre aristocratique confronté aux remises en cause internes, bourgeoises ou plébéiennes, introduites par une modernité s'affirmant désireuse d'en finir avec les inégalités de l'ordre ancien ; tandis que le discours de Bennabi (et de ses pairs musulmans) est celui d'un intellectuel confronté à l'irruption

---

4   Voir, par exemple, Alain FINKIELKRAUT, *La Défaite de la pensée*, Gallimard, Paris, 1987

externe et brutale dans sa société d'une colonisation se parant des vertus de cette modernité pour imposer, par le fer et par le sang, le pire des ordres inégalitaires.

Voilà, pour l'essentiel, rappelés les termes de la problématique identitaire de la dynamique de « réislamisation ». Si l'on en inscrit la genèse dans cette configuration — confirmée par d'innombrables mémoires d'acteurs, d'un bout à l'autre de l'« empire » —, la restauration des catégories de la culture intuitive du « père » musulman et donc de la continuité d'une filiation symbolique interrompue par la parenthèse coloniale, ne produit de rupture que relative. Elle réaffirme les ambitions de la culture endogène à apporter, à l'instar des autres cultures du monde et, surtout, de celle du colonisateur, sa contribution à l'expression de l'universalité.

Les malentendus et les turbulences de la réislamisation

Reste que ce retour ne se fait pas toujours sans provoquer de nouveaux traumatismes. En effet, refermer une parenthèse « symbolique » est une chose, renouer avec une production normative islamique interrompue — c'est-à-dire coupée de la dialectique vitale que tout système de normes doit entretenir avec la société réelle — pendant toute la période d'« occidentalisation » en est une autre, on le verra.

Cette problématique suffit-elle à tout expliquer ? Non, bien sûr. Elle permet de comprendre les raisons de la nouvelle popularité du vocabulaire politique musulman. C'est peu, mais c'est déjà beaucoup. Cela aide à éviter un certain nombre de malentendus méthodologiques. Montrer la nature principalement sémantique du commun dénominateur qui réunit tous ces acteurs (islamistes) souligne la fragilité des analyses qui se permettent d'extrapoler la portée explicative de l'usage d'un même lexique.

La mise en évidence de la matrice identitaire de l'islamisme ne donne pas accès, en effet, à une connaissance « politique » de la population qu'elle permet d'identifier. On ne peut déduire du discours des acteurs les modalités complexes et changeantes selon lesquelles ils vont se comporter dans leur environnement, social ou politique, local ou international, face aux défis éthiques, sociaux ou politiques de leur siècle.

La spécificité de leur « parler musulman » ne doit pas masquer la nécessité méthodologique de construire un second objet, différent et complexe, rendant compte cette fois de la diversité des comportements et des usages de ce bagage commun : la construction d'un objet islamiste « social et politique » doit ainsi impérativement compléter celle de l'objet « parler musulman » construit avec la problématique identitaire. Pourquoi, dans les rangs de ceux qui entendent adopter et promouvoir le parler musulman, un processus de radicalisation va-t-il fabriquer des activistes du type de ceux d'Al-Qaida ? Sauf à emprunter les raccourcis de l'essentialisme (qui est à la culture ce que le racisme est à l'ethnicité), face à une telle question, on ne peut, à ce stade de l'analyse, que formuler une réponse prudente : la radicalisation d'une partie des utilisateurs du lexique musulman ne peut être considérée comme la « conséquence » de leur recours à un tel lexique.

L'exigence méthodologique de ne pas faire de la seule « islamité » sémantique des militants d'Al-Qaida, des membres du reste de la mouvance islamiste ou... des habitants du monde musulman, la détermination ou l'explication principale de leurs options politiques est toutefois loin d'être communément admise. La nécessité de dissocier l'appartenance religieuse (ou seulement culturelle) et l'agenda politique est en fait considérée avec réticence aussi bien par le regard extérieur, du sens commun, voire académique [5], que par celui d'une partie au moins des acteurs concernés.

---

5 Comme le montrent les travaux du courant « essentialiste » américain représenté par Bernard Lewis, Martin Kraemer ou Daniel Pipes, combattu, sur des registres différents, par ceux d'Edward Saïd ou encore de John Esposito, James Piscatori, Richard A. Norton, John Entelis — et, fort heureusement, beaucoup d'autres —, ou encore, en France, par ceux de Maxime Rodinson.

Pour le regard occidental, l'islamité du lexique des activistes tchétchènes, libanais, palestiniens ou irakiens borne encore souvent l'explication de leur résistance ou de leur opposition. Plus faible est l'ancrage de l'observateur dans la complexité sociologique et politique du terrain « islamiste », plus forte est sa propension à ne prendre appui que sur ce qu'il connaît, ou croit connaître, à savoir le dogme, la terminologie (*jihâd, fitna, takfir, salafi,* etc.) et les tendances essentialisées de l'histoire longue des acteurs, optant ainsi pour le confort d'une explication culturaliste globalisante.

Renoncer à cette approche, à la corrélation fatale entre l'usage du discours musulman et la radicalisation politique est d'autant plus difficile pour la cohorte des experts ès terrorisme « islamique » que cela les priverait de la colonne vertébrale de leur « explication ». Si ces terroristes n'attaquent pas l'Occident parce qu'ils obéissent aux commandements d'une idéologie sectaire et pour s'en prendre « à nos valeurs », il faut en effet en trouver une autre. Laquelle, au lieu du survol des textes ou des discours, requiert l'examen, autrement plus exigeant, des contextes, sociologiques et politiques dans lesquels ces textes — qui ont souvent le mauvais goût d'être écrits dans une langue dont nombre de nos « experts » ignorent tout — sont appropriés ou ces discours énoncés. Elle doit être recherchée sur un terrain sociologique où, bien loin des certitudes monolithiques des « experts », règnent une déroutante diversité, une plasticité inattendue des références, d'insolites exceptions à la règle et autant de déconcertantes évolutions.

Chez les acteurs islamistes cette fois, la thèse du moteur identitaire de la réislamisation n'est pas nécessairement mieux acceptée, tant s'en faut. Au sein de la composante littéraliste du courant, on tend à la minimiser ou à la rejeter au profit d'une lecture aussi essentialiste que celle des analystes occidentaux les plus mal documentés. À leurs yeux, en réduisant la « norme islamique » à un simple « lexique » ou à un « univers symbolique d'appartenance », en en dissolvant les principes dans la multiplicité de leurs possibles interprétations, une telle problématique tend en effet à relativiser le caractère intangible, la spécificité et donc la valeur de cette norme.

Pakistan : les leçons de la « terre des purs »

Les exemples ne manquent pas pourtant, qui démontrent, à l'inverse, que la référence dont se réclame un groupe, fût-elle religieuse et réputée intangible, ne peut nulle part empêcher l'infinie diversité du social, du politique, voire de l'ethnicité, d'affirmer très vite ses droits.

Dans le monde musulman, l'un de ces exemples a été fourni par le destin de quelques millions de citoyens du Raj, l'ex-Empire britannique des Indes. En 1947, soucieux de préserver leur appartenance musulmane face à l'écrasante majorité hindouiste de leurs compatriotes, ils décidèrent de fonder une nouvelle nation. Cette nation, la « terre des purs » ou « Paki-stan », serait « musulmane [6] ». Même si l'idée de la réserver aux seuls musulmans ne s'imposa qu'avec le début des massacres confessionnels qui ravagèrent très vite le sous-continent, le Pakistan fut bel et bien construit « par » et « pour » la référence islamique, qui devait faire office de ciment national. La proximité historique et l'unité de lieu en font ainsi le théâtre d'une exemplaire expérience *in vitro* de la construction d'une islamité politique. Comment rêver d'un meilleur cas d'école que celui du pays qui allait en 1971 faire d'Islamabad, la « ville de l'Islam », construite de toutes pièces pour ce faire, sa capitale ? Qu'advint-il donc de ces millions de citoyens décidés à « parler musulman » de concert après avoir fait le pari de construire leur destin sur une commune référence religieuse ?

En se fiant aux credos de l'essentialisme, une nation si fortement soudée par un même dogme aurait dû, à n'en point douter, marcher d'un même pas, au même rythme et dans la même direction. Bien évidemment, il n'en a rien été. Sans surprise, au Pakistan, ni la centralité fondatrice de la référence islamique ni son quasi-monopole symbolique n'ont empêché de puissantes dynamiques de diversification de se manifester. Pas plus

---

6 Voir notamment Christophe JAFFRELOT (dir.), *Le Pakistan*, Fayard, Paris, 2000. Le terme Pakistan est formé par l'addition de différents segments de la dénomination de cinq de ses provinces : Pendjab, Afghaniya, Cachemire, Sind et Baloutchistan.

l'homogénéité islamique de la scène politique que l'unité territoriale du pays n'ont résisté aux sollicitations multiples du temps. En 1971, l'unité territoriale du pays prit brutalement fin, la sécession de la province orientale donnant naissance au Bangladesh. Dès avant cette rupture, de multiples dynamiques, politiques ou ethniques, religieuses ou profanes, locales, internationales ou régionales, avaient montré les limites du potentiel unificateur de la référence religieuse partagée.

La première a résulté des divergences auxquelles donne inévitablement lieu l'exégèse d'un corpus référentiel, fût-il religieux. Les différents segments de la société pakistanaise, selon des lignes de clivage complexes — sociales, éducatives, politiques, etc. —, ont sans surprise adopté ou confirmé des interprétations substantiellement différentes d'un même dogme, donnant naissance ou confortant l'existence, dans la foulée, à autant de courants religieux, intellectuels ou politiques : le soufisme des pîrs, ancré dans une puissante tradition populaire, en tension avec le juridisme sourcilleux des oulémas, mais néanmoins travaillé par des velléités très modernes, pas forcément libérales d'ailleurs, d'action politique ; le réformisme laïcisant d'une partie des élites « occidentalisées » ; le salafisme déobandi, qui vise à restaurer une tradition néanmoins constamment réinterprétée. Les divisions ont également rappelé les vieilles déchirures sectaires entre chiites et sunnites. Le Pakistan a vu enfin s'épanouir une solide minorité de musulmans qui ont lu dans la référence islamique « bien comprise » le droit de s'en affranchir au nom de leur liberté de conscience.

Une autre dynamique de diversification, extérieure cette fois à la référence religieuse, a résulté de la concurrence faite à l'identité religieuse par les nombreuses appartenances ethniques dont le Pakistan est riche[7]. La remarque fameuse du nationaliste Walid Khan illustre bien la force que la référence ethnique puise dans

---

[7] Le pays a même été construit par une ethnie « importée » qui n'a pas d'assise territoriale sur son territoire. Ce sont en effet les réfugiés de l'Est indien, les *muhajir*, qui réussirent, alors même qu'ils ne pouvaient eux-mêmes se prévaloir d'une ethnicité commune, à s'imposer comme l'élite politique nationale et à faire d'une langue importée, l'urdu, la langue officielle.

son antériorité par rapport à ses rivales religieuse et, *a fortiori*, nationale : « Je suis pachtoune depuis quatre mille ans, musulman depuis mille quatre cents et pakistanais depuis quarante[8]. »

L'unicité de la référence religieuse a enfin été mise à l'épreuve par l'environnement régional et international. L'usage pakistanais de son islamité, depuis l'État ou depuis l'opposition, a dû prendre en compte des sollicitations extérieures changeantes et contradictoires. Les États-Unis, qui avaient dès sa naissance « recruté » le Pakistan dans leur stratégie de *containment* (endiguement) de l'URSS, se sont longtemps accommodés des diverses manifestations de l'islamité de leur allié. On sait comment, pour contrer, à partir de 1979, la poussée soviétique en Afghanistan, la CIA s'impliqua, depuis le territoire pakistanais, dans la mobilisation de ceux que les médias occidentaux nommaient alors les « combattants de la foi ». Dix ans plus tard, le retrait de l'URSS d'Afghanistan et son effondrement sur la scène régionale et mondiale ont toutefois brutalement rendu obsolète, contre un ennemi russe devenu un allié, le recours aux jihadistes de la guerre froide.

Les attentats du 11 septembre 2001 ont ensuite précipité, de façon beaucoup plus drastique cette fois, la réévaluation du statut des alliés ou des instruments (talibans ou groupes armés envoyés au Cachemire) de la diplomatie « islamique » d'Islamabad. L'« islamité » pakistanaise a dû s'adapter à une évolution comparable de l'humeur de ses proches voisins : les régimes de la Péninsule arabique, à l'instar de bon nombre d'autres régimes arabes, ont eux aussi contribué à faire évoluer le statut pakistanais de la référence islamique. Après avoir financé les mobilisations jihadistes antisoviétiques, les États du Golfe ont, dès 1990, commencé à s'en démarquer et à mettre en œuvre une vigoureuse stratégie de contrôle des expressions militantes de la réislamisation. En butte à la poussée de leurs propres oppositions islamistes, ils ont réclamé à Islamabad, avant même que les États-Unis ne le fassent, une

---

8 Cité par Ian TALBOT, *Pakistan, a Modern History*, St Martin's Press, New York, 1998 ; voir aussi : Christophe JAFFRELOT, *Le Pakistan, carrefour de tensions régionales*, Complexe, Paris, 2002.

réévaluation identique à celle que Washington allait bientôt leur imposer.

Le recours aux ressources radicales de la mobilisation religieuse, un temps ressource politique, est devenu cause de tension et terrain de relative schizophrénie : alors que le « jihadisme » continue de figurer dans la panoplie des outils de politique étrangère d'Islamabad, son éradication est désormais un objectif important de la coopération sécuritaire mondiale. Depuis sa double retraite d'Afghanistan et du Cachemire en 2003, le Pakistan doit ainsi gérer son « islamité » en accommodant classiquement deux exigences contradictoires : conserver le soutien de ses partenaires américain et arabes, sans se priver pour autant de recourir, contre l'ennemi extérieur indien ou contre les irrédentismes internes, au potentiel précieux de l'« islamisme », y compris dans certaines de ses formes les plus radicales [9].

Comment — pour ne rien dire des pays, Indonésie ou Malaisie, où vit la majorité de la population musulmane de la planète — ne pas confronter cette complexité pakistanaise avec les raccourcis péremptoires de trop de nos analystes en chambre lorsqu'ils nous parlent du Pakistan « intégriste », de l'Arabie saoudite « wahhabite et pétrolière », de l'Iran « chiite », du Yémen « tribal » et, *mutatis mutandis*, de tous les pays que le regard médiatique occidental persiste à amputer de leur sociologie, de leur histoire, de leur géographie et, ce faisant, de leur... humanité, sous le seul prétexte qu'on y « parle musulman » ?

Une identité trans-sociale

Comme le montre bien l'exemple de Bennabi, le processus réactif provoqué par les ruptures symboliques et culturelles de la colonisation fut d'abord et avant tout d'ordre identitaire. De ce fait, la recherche d'explications ou de causalités qui seraient

---

9   Olivier Roy et Mariam Abou Zahab, *Réseaux islamiques : la connexion afghano-pakistanaise*, Autrement, Paris, 2002.

propres à certains groupes sociaux, déterminant la propension de leurs membres à « devenir islamistes », se révèle le plus souvent un leurre. Pour expliquer, dans le contexte international de l'arène Nord-Sud, les ressorts (identitaires) du retour en légitimité du « parler musulman » et de cette dichotomie entre le « nous » et le « eux » qui peut en résulter, la sociologie de groupes est en fait peu éclairante. Lorsque de surcroît elle dérive vers une forme ou une autre de déterminisme sociologique (on devient islamiste parce qu'on est « malade » ou « jeune » ou « peu éduqué »), elle peut être franchement trompeuse.

Lorsqu'une « communauté » se mobilise, sur un mode pacifique ou de façon radicale, contre ce qu'elle perçoit comme une domination extérieure, politique ou culturelle, cette mobilisation a vocation en effet à englober, quelle que soit la chronologie des adhésions, n'importe laquelle de ses composantes. C'est bien le cas de la mobilisation islamiste en tant qu'affirmation de la légitimité du « parler musulman » et des droits de ses adeptes face à un interlocuteur étranger, pouvoir colonial d'abord, pouvoir « impérial » ensuite. L'inventaire des groupes sociaux (intellectuels, bourgeois, prolétaires, etc.) impliqués dans la mobilisation islamiste se révèle en fait en permanence incomplet, partiel et inachevé, de nouveaux groupes pouvant à tout moment s'y adjoindre et aucun d'entre eux, malgré les possibles effets de leadership, ne pouvant à lui seul révéler la clef de l'adhésion des autres.

Un historien qui entendrait « expliquer » la résistance française à l'occupation allemande en la réduisant à la stratégie d'une seule des catégories sociales de la population, occultant ainsi son assise « nationale » (et limitant de surcroît la portée des motivations partagées par tous ses acteurs), susciterait une légitime incrédulité. Sans qu'il soit évidemment question ici de comparer les cibles américaines d'Oussama Ben Laden à celles des résistants français de la Seconde Guerre mondiale, et George Bush, Ariel Sharon ou tels dictateurs arabes aux dirigeants du IIIe Reich, on admettra qu'une mobilisation vécue par ses acteurs comme l'expression d'une résistance à un processus de domination a une certaine propension à s'abstraire des limites des groupes sociaux. Une lecture sociale de ce type de mobilisation (qui insisterait par exemple, dans le cas de la résistance française, sur le fait qu'il était plus facile de gagner les maquis lorsqu'on était pauvre que lorsqu'on risquait la confiscation d'un important patrimoine industriel, etc.) ne peut être sollicitée que de façon complémentaire, pour mettre en évidence des facteurs « adjuvants » et circonstanciels, mais pas la causalité explicative centrale.

De fait, les investigations de terrain convergent pour démontrer qu'il n'existe pas de profil socio-économique type de l'« adepte du parler musulman ». Il n'en existe pas davantage de l'activiste d'Al-Qaida ou du kamikaze palestinien [10]. Partout, la sociologie du terrain islamiste conforte une identique réalité : celle de la diversité sociale des acteurs et de la fragilité d'une explication seulement socio-économique de leur engagement.

L'opiniâtreté des observateurs à disqualifier la résurgence du référentiel islamique en la réduisant à une sorte de pathos les conduit pourtant encore souvent à vouloir que le « mal » « contamine » prioritairement, voire exclusivement, certaines catégories sociales, en l'occurrence les plus démunies économiquement et intellectuellement. Avant de reconnaître, tardivement, le rôle déterminant des élites intellectuelles dans la formulation de la revendication reprise par toutes les composantes de la société, nombre d'auteurs, et le sens commun avec eux, n'ont voulu voir d'islamistes qu'issus des rangs des « jeunes urbains inemployés » et « sous-éduqués » ou, plus largement, des « laissés-pour-compte du développement ».

Les victoires remportées au début des années 1990 par les islamistes égyptiens dans tous les syndicats des professions libérales (les syndicats ouvriers demeurant sous la stricte mainmise de l'appareil d'État) avaient amplement montré les limites de cette thèse aussi populaire que simplificatrice. L'irruption sous les projecteurs de l'actualité islamiste d'Oussama Ben Laden et

---

10 Ariel Merari (université de Tel-Aviv), « Social, organizational and psychological factors in suicide terrorism », communication à l'International Expert Meeting on Root Causes of Terrorism, Norwegian Institute of International Affairs, Oslo, 9-11 juin 2003.

d'Aïman al-Dhawahiri, un milliardaire saoudien et un chirurgien égyptien, fils de grande famille, aurait dû achever de démontrer sa fragilité. Les mêmes explications où le social tente de masquer le politique resurgissent pourtant aujourd'hui pour « expliquer » la motivation des jeunes kamikazes marocains ou londoniens.

Dans les rangs islamistes, il est en fait acquis que les membres du prolétariat urbain, présents sans nécessairement constituer le gros des troupes, jouxtent les dignitaires des bourgeoisies (pétrolière, commerçante, militaire ou tribale), toutes les nuances des classes moyennes et/ou tous les rangs de toutes les aristocraties. Il est apparu également que s'y côtoyaient les générations ainsi que les branches professionnelles, tout comme les niveaux et les filières d'éducation. *Last but not least*, le sens commun commence à se rendre à l'évidence que le paramètre du « genre » n'est pas davantage fonctionnel. Si prégnant que soit le cliché qui voudrait qu'elles ne cèdent, ce faisant, qu'à la violence machiste de leurs pères, frères et conjoints, les femmes, afghanes, iraniennes ou tunisoises, sont en effet loin d'être les dernières à devenir « islamistes ».

Ces islamistes ne sont donc pas seulement des pauvres « oubliés de la croissance ». Ils ne sont pas davantage des « riches » enivrés de l'argent gaspillé du pétrole, ni des « jeunes » (produits d'une démographie... incontrôlée), ni des « bourgeois pieux », ni des « intellectuels », ni seulement des « civils », des « militaires », des « hommes » (machistes) ou des « femmes » (aliénées). Ils sont tout cela à la fois, dans une diversité comparable à celle d'acteurs d'autres mobilisations nées en réaction à une forme ou à une autre de domination.

La propension d'une mobilisation identitaire à avoir une assise « trans-sociale » n'implique pas pour autant, aussi bien dans l'arène internationale que dans les arènes nationales, que les paramètres économiques (même lorsqu'ils différencient, le cas échéant, certains groupes sociaux) doivent être systématiquement exclus de l'analyse. Les mobilisations contestataires bien sûr, les affirmations identitaires également (le rejet d'une identité au profit d'une autre) ne sont pas *a priori* étrangères à des causalités de type économique. Si l'on ne se remet pas à « parler musulman » simplement parce que l'on a « la jambe économique cassée », la volonté de se démarquer d'une appartenance pour en revendiquer une autre peut être une façon de dénoncer une frustration ayant une dimension économique.

La volonté d'un groupe d'affirmer une identité différente de celle du groupe dominant signale, entre autres, le mauvais fonctionnement des mécanismes d'allocation des ressources, politiques et économiques, au sein de l'appartenance « reniée ». Tout particulièrement dans la colonisation « à la française », le rejet de l'identité hexagonale s'explique au moins en partie par le fait que la puissance coloniale qui voulait faire « partager » son identité ne s'est souciée de « partager » pour autant ni ses ressources politiques ni ses ressources économiques. À l'intérieur des enceintes nationales du Sud cette fois, sur le même terrain de l'affirmation identitaire, lorsque le « parler musulman » est mobilisé contre des élites autochtones discréditées pour leurs concessions supposées à un environnement « étranger », le rôle potentiel des facteurs économiques ne peut être nié. La baisse brutale des capacités redistributives des États pétroliers survenue au début des années 1980 (à la suite du renversement des cours des hydrocarbures) a vraisemblablement contribué, chez ceux qui furent alors déstabilisés par l'austérité montante, à crédibiliser une appartenance « islamique » perçue comme une alternative à celle — « laïque » (*'ilmâni*) et donc « étrangère » — de ces élites gouvernantes qui ne parvenaient plus à satisfaire leurs aspirations économiques.

Mais ces nuances ne sauraient légitimer le déterminisme social qui sévit encore souvent pour expliquer la résurgence islamiste tout entière. Le cas de l'opulente Arabie saoudite — dénigrée pour sa richesse et accusée régulièrement à la fois d'être la première « exportatrice mondiale de l'islamisme » — devrait suffire à convaincre que tout le pétrole (ou tout l'or) du monde, non plus que tous les prêts de la Banque mondiale ne parviendraient à (re)transformer en « laïques » ou en « marxistes » les adeptes de la restauration, dans leur société, ou dans l'arène Nord-Sud, de la légitimité des catégories symboliques de la culture musulmane.

Derrière l'arbre (identitaire) de l'islamité, la forêt sociale et politique...

L'examen attentif des diverses formes d'utilisation du lexique musulman démontre que ceux qui ont choisi d'en faire usage, y compris de façon « ostentatoire » et exclusive, le font aujourd'hui au service d'innombrables « programmes », usant d'à peu près tous les registres de l'action politique. Les clefs de leur comportement sont, en tout état de cause, infiniment moins simples d'accès que les certitudes dichotomiques qui voudraient faire du « bon musulman » un terroriste patenté pour les uns et, pour les autres, un humaniste parfait. Selon une conviction que nous avons énoncée de longue date, l'islamisme procède en fait moins de l'émergence d'*une* idéologie politique spécifique (en l'occurrence radicale et sectaire) que d'un processus de reconnexion entre le référentiel de la culture musulmane et l'entier terroir de production des identités politiques. Selon, notamment, leur parcours éducatif et le contexte social et politique, local ou régional, dans lequel ils évoluent, selon la nature et les pratiques de leurs interlocuteurs politiques locaux ou internationaux — on y reviendra dans les chapitres suivants —, les islamistes peuvent se révéler littéralistes ou libéraux, démocratiques ou autoritaires, légalistes ou révolutionnaires. Du rejet indiscriminé de la « technologie » démocratique occidentale (selon l'interprétation littéraliste qui veut que « la souveraineté divine serait antinomique avec celle du peuple ») à la surenchère dans sa réappropriation (« la *choura* des musulmans a "précédé" la démocratie française », etc.), le spectre complet des attitudes et des comportements peut être observé, aussi bien d'ailleurs dans les postures oppositionnelles que dans la pratique des régimes « islamiques » au pouvoir.

S'agissant de ces derniers, leurs performances sont à l'évidence moins monolithiques que ne le perçoit régulièrement la croyance populaire. Il ne peut aucunement être démontré que le rythme, universellement lent et inégal, de la quête de libéralisation politique et de modernisation sociale (c'est-à-dire le développement d'un espace du politique autonome, la limitation du recours à la violence répressive des États, l'affirmation de la place de la femme dans l'espace public professionnel ou politique) l'a été significativement plus dans l'« Iran des mollahs » ou le « Soudan de Tourabi » que dans l'Algérie de Bouteflika, l'Égypte de l'éternel Moubarak ou la Tunisie du général-président « défenseur de la laïcité ». Si « perfectible » puisse être le déroulement des élections parlementaires ou présidentielles iraniennes et si problématique que soit le principe d'une double légitimité populaire et religieuse (*wilaya e-faqih*), les chances qu'a aujourd'hui l'électeur iranien d'affecter le rapport de forces politiques au sommet de l'État sont à l'évidence infiniment plus sérieuses que celles de son homologue algérien, tunisien ou égyptien, condamné à réélire sans surprise — sans même mériter la compassion de la classe politique occidentale — les grands alliés républicains (ou monarchique) de l'Occident en Afrique du Nord.

Pour comprendre les mécanismes de cette diversification idéologique interne à la mobilisation islamiste, les instruments de la sociologie de groupe retrouvent leur utilité. Peu éclairants, on l'a dit, pour expliquer son dénominateur identitaire commun face au repoussoir occidental, ils reprennent leur fonctionnalité dès lors qu'il s'agit de décrypter les arcanes sociaux et bien sûr politiques de la « société islamiste » dans toute sa complexité humaine. C'est-à-dire lorsqu'il s'agit d'expliquer les usages diversifiés que vont faire les adeptes du « parler musulman » de leur lexique, selon les configurations sociales, éducatives, économiques, politiques, locales ou régionales dans lesquelles ils évoluent. La sociologie doit donc participer à l'explication de la diversité des itinéraires individuels « idéologiques » et « doctrinaux » des islamistes, de ceux qui se cantonnent au registre du piétisme « contemplatif » et de la coexistence vis-à-vis du titulaire local du pouvoir, jusqu'à ceux qui optent pour l'action parlementaire légaliste ou ceux, enfin, qui évoluent vers une radicalisation révolutionnaire, voire terroriste.

Les coulisses d'un itinéraire idéologique : un salafi yéménite entre radicalisation « religieuse » et stratégie sociale

Examinons par exemple le cas du cheikh Muqbîl Ibn Hâdi al-Wâd'î (1930-2000) qui, avant de devenir le principal idéologue de la plus littéraliste des tendances du courant salafi yéménite (et mondial), a suivi une longue trajectoire « islamiste [11] ». Diverses motivations, que son discours présente comme d'ordre doctrinal, l'ont successivement poussé à se démarquer de son appartenance chiite zaydite initiale [12], à se rallier ensuite à une tendance (salafie) du sunnisme saoudien tout en affirmant son opposition au régime d'Arabie, à s'allier un temps puis à combattre les Frères musulmans présents au Yémen, à accepter une collaboration de fait avec le régime yéménite du président Ali Abdallah Salêh avant de se réconcilier, peu de temps avant sa mort, avec le régime saoudien.

Derrière la façade doctrinale du salafisme de Muqbîl, il est intéressant de montrer l'importance du rôle des variables plus prosaïquement sociales et politiques qui participent à la compréhension d'un tel itinéraire. Sans nier la part d'autonomie des acteurs islamistes, ce cocktail complexe de motivations très profanes doit être pris systématiquement en compte pour expliquer leurs trajectoires différenciées, comme on le ferait pour n'importe lesquels de leurs homologues dans d'autres contextes politiques. L'itinéraire de Muqbîl n'est donc pas seulement celui d'un « islamiste salafi ». Muqbîl est également un citoyen de nationalité yéménite, d'appartenance sectaire « zaydite » ensuite, d'un rang social (« homme de tribu ») relativement inférieur enfin. Il va, sans grand succès, entreprendre de gravir les échelons de la hiérarchie

---

11 François BURGAT et Mohamed SBITLI, « Les salafis au Yémen ou la modernisation malgré tout », *Chroniques yéménites*, 2002, <www.cy.revues.org>.

12 La doctrine zaydite se rattache au chiisme et tire son nom de l'imam Zayd ben Alî Zayn al-Abidîn (mort en 740), descendant de Ali ben Abî Tâlib, le gendre du Prophète. C'est en 897 que l'imam Yahya al-Hadi ila'l-Haqq ben al-Husayn a fondé dans le nord du Yémen un pouvoir « zaydite ». Selon les oulémas zaydites, l'imam légitime doit remplir quatorze conditions, dont, en premier lieu, celle de descendre du Prophète par les deux fils (Hassan et Hussein) de son beau-fils Ali et de sa fille Fatima.

sociale et professionnelle de son environnement national et du royaume saoudien voisin ensuite. Ce n'est que plus tard, à son retour d'Arabie, qu'il réussira enfin, en capitalisant les ressources symboliques accumulées à l'étranger, son insertion sur le marché politico-religieux de son terroir d'origine.

Né en 1930, non loin de la frontière avec l'Arabie saoudite, dans un Nord-Yémen gouverné par l'imam zaydite Yahyâ Hamîd al-Dîn, il prend très vite conscience du poids de ses « appartenances primaires » nationale, sectaire et sociale. Le Yémen est alors l'un des pays les plus pauvres de la planète. Il est doté d'un système politico-religieux (l'imamat zaydite, devenu monarchie héréditaire en 1926) très hiérarchisé, où chacun est strictement cantonné dans son rang socio-économique et politique[13]. C'est à ce niveau assez matériel que résident à l'évidence certaines des explications de son itinéraire « idéologique » et la distance prise vis-à-vis de ses premières appartenances. Dans la structure sociale de la société zaydite, Muqbîl est doublement assigné en effet à une place subalterne : il n'est ni membre de l'aristocratie religieuse des descendants du Prophète (les *sâda*, les seuls à pouvoir briguer la fonction suprême de l'imamat), ni membre de l'aristocratie juridique des « juges », leurs principaux conseillers, ni même de l'aristocratie « de l'épée » que constituent — jusqu'à ce jour — les chefs des grandes tribus, longtemps la principale force armée de l'imamat.

Adolescent, son premier engagement n'est ni politique ni idéologique, mais bien professionnel. À l'instar de milliers de ses compatriotes, pour sortir de l'austérité économique, il part s'employer en Arabie saoudite. À La Mecque, il gagne sa vie dans le bâtiment, tout en suivant un enseignement religieux. Dans une société où les chiites, minoritaires sont mal vus, son zaydisme le met en porte-à-faux avec la norme de son pays d'adoption. Le prix d'une intégration réussie dans l'« universel » religieux — mais également économique et social — saoudien passait donc par le

---

13   Franck MERMIER *et alii* (dir.), *Le Yémen contemporain*, Karthala, Paris, 2003.

renoncement à son appartenance sectaire d'origine. C'est ce qu'il va faire.

Dès son premier retour au pays vers le milieu des années 1970, il démontre en tout état de cause qu'il a fait siens les credos wahhabites dominants en Arabie saoudite : il se démarque de la « sacralisation des intermédiaires » entre le Créateur et l'homme, que ceux-ci soient des saints (dont le tombeau est vénéré) ou des chefs spirituels de confréries soufies, ce que la tradition dénonce comme l'« associationnisme », c'est-à-dire le fait d'élever des créatures humaines au même rang que Dieu. Dans son village proche de Saada, il dénonce la présence de tombeaux dans les mosquées, l'usage d'amulettes ou de porte-bonheur. Comme il formule ses critiques très publiquement et tente de faire des émules, les notables zaydites font pression sur ses proches pour lui « laver le cerveau », selon ses propres termes. Pour le faire rentrer dans le droit chemin, ils l'obligent à suivre les enseignements de la mosquée de l'imam al-Hâdî, berceau de leur doctrine.

Pendant trois années, il résiste en acceptant de n'étudier que la grammaire. L'isolement et l'ostracisme dont il commence à souffrir ne sont alors pas seulement idéologiques. Ils ont une évidente dimension sociale et traduisent le mépris des *sâda*, descendants du Prophète, à son égard. Dès lors que — par son activisme religieux et donc, potentiellement, politique — il essaye de s'en abstraire, les membres de l'aristocratie religieuse lui rappellent sans ambages sa place dans la hiérarchie sociale : il n'est qu'un vulgaire *qabîlî* et ne saurait prétendre sortir de son rang. « Même si on la frotte long-temps, ironisent-ils, une serpillière ne devient jamais blanche. » Venant de ceux qui, pour ne pas être confondus avec les agriculteurs, protègent la pâleur de leur teint sous de larges ombrelles, le rappel à l'ordre religieux et social est particulièrement humiliant. « Je m'en souviendrai toute ma vie », consigne Muqbîl dans son autobiographie.

À la fin des années 1970, le zaydite Muqbîl va parfaire sa trajectoire vers le salafisme. Le fait d'être originaire d'un pays « chiite » lui vaut une nouvelle fois, en Arabie où il est retourné gagner sa vie, des soupçons d'illégitimité. Alors qu'il ambitionne de changer de statut et, fort de ses nouveaux diplômes, d'accéder au rang d'enseignant de droit musulman, une commission d'enquête met à nouveau en doute son orthodoxie. Il est notamment questionné sur la façon d'appeler à la prière et sur la licéité de prier avec ses chaussures aux pieds [14]. « Je suis sunnite, je pense comme vous », affirme-t-il ; et il combattra dès lors par une sorte de surenchère antizaydite les soupçons qui freinent sa carrière.

Emprisonné brièvement sous l'accusation d'être lié au groupe de Juhayman qui va, peu de temps après (le 20 novembre 1979), occuper la grande mosquée de La Mecque (action dont la répression, avec l'aide directe du GIGN français, fera des centaines de morts), Muqbîl se réfugie alors définitivement dans son Yémen natal. Depuis 1970, la République y a triomphé de l'imamat. Le « matérialisme » et le « communisme », au demeurant relatifs, du régime porté au pouvoir en 1962 par l'intervention militaire de Gamal ʿAbd al-Nasser le confortent dans ses options religieuses. À son retour d'Arabie, c'est par les Frères musulmans qu'il est accueilli et soutenu financièrement. Les Frères sont alors, comme par le passé, les alliés directs du régime. Le chef de l'État s'appuie d'autant plus naturellement sur eux que la République, qui a dû s'affirmer contre une théocratie zaydite encore solidement ancrée dans la culture populaire, doit combler un déficit de légitimité religieuse.

Vis-à-vis du courant des Frères musulmans, le « salafi » Muqbîl a d'abord une attitude ambivalente. Certains de ses maîtres saoudiens l'ont « prévenu », explique-t-il, « de ne jamais [leur] confier son destin ». Mais, dans le besoin, cela ne va pas lui interdire de coopérer avec ceux qui sont alors les puissants alliés du pouvoir. Il accepte donc la direction de l'un de leurs instituts. Un an plus tard, en 1982, dans un contexte politique différent, il va en revanche opérer un spectaculaire revirement. Dans l'ouvrage

---

14 Au nombre des « marqueurs » du salafisme par rapport au zaydisme, certains salafis considèrent comme légal de conserver leurs chaussures pour prier. Ils se contentent de les dépoussiérer d'un geste de la main, même dans une mosquée. À la différence des zaydites, qui gardent les bras ballants, ils prient les bras croisés et prononcent de sonores « âmîn » à la fin de la récitation de la *fàtiha* (profession de foi ouvrant le Coran).

« fondateur » (*Comment sortir de l'impasse de la division* [15]) où il précise les contours de sa vision « salafie » de l'islam, il rompt très brutalement avec ceux qu'il va désormais nommer avec dérision les « Frères faillis », ou « ruinés » (*Ikhwan al-muflissîn*). Ses alliés de la veille vont devenir, à l'instar ou presque de n'importe quel « mécréant », ses boucs émissaires préférés.

Son différend est bien évidemment motivé par des arguments de nature « religieuse » : toutes les « modernisations » de la lecture classique du Coran et de la Sunna (faits et paroles du Prophète) attribuées aux Frères sont disqualifiées et assimilées à autant d'innovations contraires à l'orthodoxie de la tradition (*bid'ât*). Les Frères musulmans sont accusés, en entrant dans le jeu électoral, de nourrir la division de la communauté en partis (la *hizbiyya*) et donc, à terme, sa division tout court, c'est-à-dire la *fitna*. Mais, des motivations très profanes, à la fois nationalistes, socioprofessionnelles et clientélistes complètent l'éclairage de cette façade doctrinale.

Il se trouve en effet que le magistère des oulémas professeurs égyptiens — souvent de simples émigrés « économiques » — s'exerce au Yémen au détriment des élites religieuses locales. Les Frères « importés » sont donc la cible d'une critique dont la jalousie corporatiste et nationaliste est loin d'être absente : « Ceux qui ont corrompu les Frères musulmans au Yémen, ce sont les Égyptiens qui sont venus travailler dans les "instituts scientifiques" et le bureau d'orientation et de guidance. La plupart d'entre eux sont des opportunistes. Ils font mine d'adhérer avec zèle aux Frères musulmans pour gagner la confiance des dirigeants des instituts et conserver leur emploi. Mais la plupart de ces Égyptiens "changent de couleur". Ils sont prêts à être sunnites parmi les sunnites, chiites parmi les chiites et même soufis parmi les mystiques. [...] Assurément, les Yéménites refusent d'être à la

---

15 MUQBIL Ibn Hâdi al-Wâd'î, *Al-Makhraj min al-Fitna* [Comment sortir de l'impasse de la division], Sanaa, s.e, 1982.

traîne des Égyptiens et des Soudanais qui leur inculquent des principes que les jeunes Égyptiens ont déjà rejetés [16]. »

Dans une cassette éloquemment intitulée *Les Ânes enturbannés*, Muqbîl étend sa virulence verbale aux oulémas de la grande université cairote d'al-Azhar. Le ressentiment à l'égard de ces privilégiés — que le gouvernement yéménite, dans le contexte de la réunification du pays intervenue en mai 1990, faisait venir alors à grands frais pour tenter d'apaiser les esprits — est donc évident, tout comme l'est le parallèle que l'on peut faire entre cette « souplesse d'adaptation » à leur environnement que dénonce Muqbîl chez les immigrés égyptiens au Yémen avec celle dont il a lui-même fait preuve en tant qu'émigré en Arabie ou, on va le voir, comme « homme politique » au Yémen.

Cette concurrence interne au courant islamiste n'est en effet pas la seule explication de la radicalisation brutale du discours des « salafis » yéménites contre « leurs » Frères musulmans. Un bref retour historique est nécessaire pour comprendre comment la rupture s'est opérée, de manière nettement plus frontale et conflictuelle que dans le royaume saoudien voisin. Dans l'environnement saoudien, les Frères, « importés » également d'Égypte (d'où ils avaient fui la répression de Nasser) et eux aussi principaux vecteurs d'une certaine modernisation religieuse et politique, semblent s'être gardés d'entrer en tension ouverte avec une mouvance salafie très solidement ancrée à la fois dans le tissu social et les élites gouvernantes. Au Yémen, des considérations de politique locale ont en revanche pris leur part dans une affirmation « idéologique » du salafisme. En 1982, les Frères musulmans locaux, héritiers comme on l'a vu d'une longue histoire de coopération avec le régime, venaient de contribuer une nouvelle fois à sa défense en luttant contre la guérilla du Front démocratique, implantée dans la région frontalière sud par les socialistes adénis.

À cette date, sans s'affirmer comme des opposants potentiels au régime, ils vont toutefois se refuser, et le faire savoir, à y être entièrement identifiés. Le président Ali Abdallah Salêh vient alors de

---

16 *Ibid.*, p. 102.

créer un parti unique, le « Congrès général du peuple », dans lequel il espère voir se fondre toutes les formations politiques existantes [17]. Il espère notamment y faire adhérer les Frères, principale composante du courant islamiste, dont il sait que les appuis idéologiques, mais également les relais tribaux lui sont nécessaires. 'Abd al-Malik Mansûr, l'un des hauts dirigeants des Frères, se laisse convaincre de passer dans le camp du nouveau parti, mais le gros des troupes refuse de suivre et le guide en titre du mouvement, Ahmed Yâsîn, donne l'ordre de boycotter Mansûr.

À la faveur du pluralisme qui s'esquisse, les Frères musulmans yéménites font ainsi leur entrée en politique. Pour diviser le camp islamiste, le régime va s'efforcer alors — tout en conservant de bonnes relations avec les Frères, qu'il associera même au gouvernement quand il en aura besoin en 1993 pour contrer les socialistes — de se concilier leurs adversaires potentiels. C'est dans ce contexte que Muqbîl passe un accord avec le régime, avec qui il amorce une longue et multiforme coopération. Très significativement, tout en critiquant violemment les Frères dans sa littérature programmatique (*Al-Makhraj min al-Fitna*), il ménage Mansûr, devenu membre du parti du président. Le principal courant salafi va donc être désormais non seulement toléré, mais soutenu par le pouvoir. Cette coopération survivra largement à la réunification de 1990 et à l'ouverture électorale pluraliste qu'elle consacre.

Lors de la guerre civile de 1994 (entre l'ex-Nord et l'ex-Sud « socialiste »), les salafis, avec le reste du camp islamiste, combattent les socialistes aux côtés des troupes gouvernementales. Après la victoire du Nord, ils continuent à aider le régime à combattre l'influence d'un parti socialiste très affaibli, mais deviennent surtout l'arme électorale privilégiée du pouvoir contre les Frères (que le régime, une fois acquise sa victoire contre les socialistes, chasse du gouvernement). À la différence de ceux-ci [18], les disciples

---

17 Employant, ce faisant, une terminologie jamahiryenne dont il n'est pas totalement exclu qu'elle lui ait été suggérée par le colonel Qadhafi, qui était alors l'un des partenaires économiques du Yémen.

18 Au sein du Congrès général du peuple au pouvoir ou dans son orbite, une première composante « islamiste » soutient ainsi le régime (certains oulémas proches du pouvoir, la fraction

de Muqbîl proscrivent la participation aux consultations électorales. Ils contribuent donc à diviser l'électorat islamiste non pas en deux camps (opposition et pouvoir), mais en trois, le camp des abstentionnistes réduisant d'autant la portée de l'opposition électorale au parti du président.

Muqbîl est décédé en juillet 2000. Il s'était auparavant réconcilié avec les Saoudiens, qui lui avaient offert un séjour médical aux États-Unis. Malgré le littéralisme conservateur de ses enseignements, le « salafi » a donc été un allié objectif plus qu'un adversaire des régimes de la Péninsule. Une telle coopération éclaire des pans entiers de l'itinéraire d'un islamiste « salafi ». La radicalisation doctrinale des salafis contre les opposants fréristes au régime d'Ali Abdallah Salêh se révèle donc être, en partie au moins, le produit de la bienveillante sollicitation du pouvoir. Sachant que les salafis sont manifestement moins engagés que les Frères dans les dynamiques de modernisation politique, un tel soutien — qui a son équivalent dans de nombreux pays de la région — n'est dépourvu ni de réalisme ni de cynisme.

Au Yémen comme ailleurs, derrière l'arbre de l'islamité et de l'idéologie, la forêt du social et du politique est ainsi, on le voit, parfois plus touffue encore qu'on pourrait le penser.

L'islamisme dans tous ses états

Une fois mis en évidence sa matrice identitaire, le caractère trans-social de son assise, la multiplicité et la banalité des variables qui expliquent les comportements en politique de son substrat humain, l'« objet islamiste » ne saurait donc être compris en extrapolant seulement l'une ou l'autre des configurations, internes ou

---

des Frères ralliés en 1982 ensuite, ainsi que les grandes confréries soufies du Hadramawt). L'opposition islamiste « réelle » est représentée ensuite par les Frères musulmans, organisés depuis 1990 au sein du Rassemblement yéménite pour la réforme, que dirige le cheikh Abdallah Hussein al-Ahmar, et, dans une moindre mesure, par les membres de la résurgence politique du zaydisme réunis dans le petit Hizb al-Haq. Enfin, les « muqbiliens », la principale tendance du courant salafi, soutiennent le régime en se contentant seulement de prôner l'abstention.

internationales, où il peut être observé. Son analyse doit pondérer le plus grand nombre possible de ces configurations, chacune d'entre elles étant de surcroît saisie dans son historicité propre. L'alpha et l'oméga de l'islamisme ne résident donc pas seulement dans les échecs ou dans les succès — il y en a eu, y compris sur le terrain de la modernisation sociale et politique — des gouvernements du Soudanais Hassan Tourabi ou de l'Iranien Khomeyni, pas plus qu'il ne se résume au slogan des Frères musulmans égyptiens : « L'islam est notre Constitution. »

Ses modes d'action ne sont pas seulement ceux du Hezbollah libanais, du Jihâd islamique ou du Hamas palestiniens en lutte contre l'occupation militaire israélienne. Il ne se réduit pas aux tensions sectaires qui déchirent encore parfois sunnites et chiites, soufis et salafis, marxistes et islamistes. Une représentation rigoureuse de l'islamisme ne peut pas plus ignorer le littéralisme conservateur des talibans afghans et du courant salafi, que le réformisme modernisateur des Premiers ministres turcs Erbakan ou Erdogan. De même, elle ne saurait se limiter aux performances électorales spectaculaires des leaders du Front islamique du salut (FIS) algérien en 1990 et 1991 ou à leur manque avéré de sens de la communication : elle doit aussi englober les termes du pacte de gouvernement — contre le pouvoir militaire installé par le coup d'État de janvier 1992 — que ce même FIS a su conclure en janvier 1995 à Rome, sous l'égide de la communauté catholique de Sant' Egidio, avec la trotskiste Louisa Hanoune, des membres du vieux Front de libération nationale et les laïques du Front des forces socialistes.

L'analyse de l'islamisme doit prendre en compte la détermination glacée des pilotes kamikazes des Bœing d'United ou d'American Airlines le 11 septembre 2001, les débordements en tous genres de la résistance irakienne (notamment lorsque, nous dit-on, elle pose des bombes dans les églises). Et, tout autant, le cynisme professionnel des tortionnaires de la junte algérienne lorsqu'ils égorgent au nom de leurs adversaires (les militaires se faisant passer pour des islamistes pour commettre leurs crimes), ou celui des geôliers américains de la *global war on terror*. Elle doit intégrer les performances du président (« islamiste ») du Parlement yéménite (et de ses soutiens « tribaux »), celles des députés islamistes jordaniens, koweïtiens, libanais ou turcs et leur capacité évidente à contribuer, au même titre que d'autres, à la résorption des crises de leur environnement national respectif. Elle doit être capable de prendre en compte, dans leur infinie diversité, la totalité de ces données et des milliers d'autres. Pour ce faire, elle doit donc disposer non pas d'un observatoire, mais de centaines de « capteurs » branchés sur des configurations politiques, sociales et nationales aussi nombreuses que possible.

Enfin, une analyse rigoureuse du phénomène islamiste doit savoir s'inscrire dans la longue durée. Les instantanés de l'observation doivent en effet, autant que faire se peut, être historicisés, car sous toutes les latitudes et en tous temps, la valeur informative des discours et des comportements d'un leader ou d'un acteur politique dépend de la façon dont leurs enseignements sont confrontés au temps et renouvelés : ce principe de base de la science politique s'applique à tous, y compris aux islamistes d'aujourd'hui. Pour « faire preuve » dans un débat sur l'islamisme qui se tient en 2005, la phraséologie utilisée par les Frères musulmans égyptiens dans les années 1940 requiert autant d'efforts de contextualisation que l'invocation des discours de la gauche ou la droite française de l'époque pour éclairer leurs positions actuelles. De même, avec le recul du temps, les déclarations et les pratiques en 1989 du leader radical du FIS algérien, Ali Benhaj, n'ont de vertu explicative de la situation actuelle de son pays et du courant politique qu'il y incarne qu'en perspective : elles doivent être confrontées aux discours des autres islamistes qui s'opposaient alors, en Algérie et dans le monde, à sa ligne politique, mais également aux discours et prises de position du même Ali Benhaj, radicalement différents sur des points essentiels, qui ont pris le relais, à dix ou quinze années d'intervalle, de ceux de la fin des années 1980.

C'est à ce prix qu'il est possible d'appréhender à la fois la « mécanique » réactive de la réislamisation et la diversité infinie de ses expressions à l'intérieur de chaque contexte national, comme dans l'arène Nord-Sud. Pour autant, établir la plasticité de la référence islamique et la diversité des usages politiques que son lexique autorise ne doit pas conduire à ignorer ou sous-estimer les tendances lourdes, transversales, qui affectent la situation des espaces géographiques où elle est dominante. Il en va ainsi du verrouillage généralisé qui caractérise aujourd'hui la distribution des ressources politiques dans le monde arabe, qu'il s'agisse, à l'intérieur, du blocage de la quasi-totalité des scènes politiques légales ou, à l'extérieur, de la dissymétrie criante du rapport de forces avec l'environnement (israélien et) occidental.

2

Des luttes nationales
aux désillusions de la « recolonisation » :
les trois temporalités de l'islamisme

L e fait que la problématique identitaire s'applique peu ou prou à la totalité des acteurs ne met pas pour autant ces derniers à l'abri de l'histoire. Même si on peut y déceler, derrière la diversité, une matrice commune et, dans le changement, des éléments de continuité, les modalités de la translation d'un individu entre deux appartenances (« laïque », « française », « religieuse », « islamique », etc.) ne sont strictement les mêmes ni dans l'espace (social ou national) ni dans le temps. Ainsi, si l'on est en droit de considérer que chaque membre des « générations » successives de la mobilisation islamiste participe d'une même affirmation de son identité musulmane face à l'*alter ego* occidental et aux régimes accusés de lui faire trop de concessions, il est important de contextualiser chaque fois cette unité de la problématique identitaire en fonction des espaces et des temporalités.

La diversité des itinéraires islamistes

Les réponses initiales du monde musulman à la poussée hégémonique occidentale ont été, au XIXe siècle, d'ordre intellectuel.

Sur le socle de cette pensée réformiste, dans le contexte d'une occupation britannique persistante, la première expression de la pensée des Frères musulmans s'est ensuite cristallisée en Égypte dans le premier tiers du XXᵉ siècle. Le Royaume-Uni protégeait alors une monarchie parlementaire fragile, dont les élites jouissaient néanmoins d'un certain pluralisme d'expression parlementaire. Une génération plus tard, l'environnement idéologique national a changé : frontières, nations et esprits ont été secoués par la création de l'État hébreu, la poussée du nationalisme arabe et l'expédition tripartite de 1956 organisée par Londres, Paris et Tel-Aviv pour contrer la nationalisation du canal de Suez. Nourri par les dividendes de ses victoires nationalistes, l'autoritarisme des régimes s'est considérablement affirmé. Les itinéraires d'entrée « en islamisme » diffèrent bien évidemment, selon les histoires individuelles et les contextes nationaux. Pour revenir dans le giron de la pensée religieuse, les nasséristes ou les baathistes égyptiens, syriens, irakiens ou arabes n'ont pas suivi les mêmes itinéraires que ceux qui, au Soudan, en Égypte ou ailleurs, sont sortis de leur appartenance traditionnelle aux confréries soufies pour le réformisme d'un islam moins passif et donc plus politique.

Au Yémen, les Frères musulmans (formés au Caire par Hassan al-Banna) ont reçu, dans leur lutte contre un imamat religieux isolationniste et conservateur, l'aide de Hassan al-Banna d'abord puis celle de Gamal 'Abd al-Nasser à l'heure même où celui-ci soumettait leurs homologues cairotes à une terrible campagne de répression. Si en 1995, Mohamed Atta (1968-2001), architecte égyptien étudiant à Hambourg, avait intériorisé les catégories de la théologie de Sayyid Qutb au point de vouloir mettre sa vie en jeu pour la faire triompher, c'est en réaction à une actualité que n'avait pas vécue Qutb qu'il a néanmoins forgé sa mortifère détermination, jusqu'à l'organisation des attentats du 11 septembre.

Pour restituer autant que faire se peut cette diversité autant que cette logique chronologique de l'islamisme, nous proposons de distinguer, dans le déploiement de sa mobilisation, trois grands contextes et donc trois grandes séquences successives.

La première séquence est celle de l'émergence de la mobilisation islamiste au repoussoir de la présence coloniale directe. Pour en cerner les tenants et aboutissants, il est toutefois nécessaire de rappeler, même brièvement, les préalables réformistes du XIXᵉ siècle. La deuxième séquence, au lendemain des indépendances, est celle de l'affirmation des options culturelles et de la formule politique de plus en plus autoritaire de la première génération des élites nationalistes. La troisième débute en 1990 avec la naissance, consécutive à l'effondrement de l'URSS, d'un ordre dit « mondial » qui va se révéler toutefois de plus en plus manifestement « ordonné » autour des seuls intérêts... « américains ». Au cours de cette troisième temporalité, dans l'ex-périphérie coloniale, le vis-à-vis occidental, à mesure que s'explicite son alliance d'intérêts avec les élites nationales au pouvoir, va insensiblement redevenir le principal repoussoir d'une partie des luttes oppositionnelles : face à l'avancée d'une sorte de « recolonisation » rampante, la perte d'autonomie des élites « indépendantistes » va les déchoir, au bénéfice de la superpuissance mondiale, de leur rang d'adversaire prioritaire.

L'Irak d'après Saddam Hussein fait figure d'archétype de cette configuration : plus encore que les nouvelles élites portées au pouvoir par l'occupant militaire américain, c'est ce dernier qui y est devenu la cible privilégiée de la résistance à un ordre politique perçu à juste titre comme imposé par lui.

Les préalables réformistes des Frères musulmans : d'Al-Afghani à Abdelwahhab

Lors de la *première temporalité de l'islamisme*, les ressources de la culture endogène religieuse vont être progressivement mobilisées pour nourrir la résistance politique à la mainmise directe du colonisateur occidental. En 1928, soit dix années après le démembrement de l'Empire ottoman et quatre années après la dissolution du califat, dernière expression institutionnelle de l'unité musulmane, huit ans avant le traité de Londres qui reconnaît en 1936 l'indépendance de l'Égypte (mais maintient l'armée britannique dans la zone du canal), la fondation des Frères musulmans par Hassan al-Banna peut être considérée comme le tout premier jalon de cette « réaction islamiste ».

L'émergence des Frères doit toutefois beaucoup à l'héritage d'une mobilisation intellectuelle préalable, qui a procédé d'une logique très voisine. La question existentielle (« Que faire pour résister à la poussée occidentale ? ») a déjà été posée en effet par les fondateurs du courant identifié à la pensée de Jamal al-Dîn al-Afghani (1838-1897), Mohamed Abduh (1849-1905) et Rachid Ridha (1865-1935). Pour l'essentiel, les Frères musulmans vont surtout prolonger, en les transposant sur le terrain politique, les premiers efforts intellectuels de ces prédécesseurs. Le témoignage d'une large majorité des « pères fondateurs » contredit ainsi l'existence d'une quelconque rupture entre les islamistes contemporains et la pensée réformiste de leurs aînés [1].

Sur ce terrain, le témoignage algérien de Malek Bennabi — que nous avons déjà évoqué — est particulièrement éclairant. Bennabi a paradoxalement redécouvert l'Orient, arabe et turc, dont la dominante nord-sud des flux coloniaux l'avait coupé, par la littérature des orientalistes français. Celle-ci lui a donné de l'Orient une image esthétiquement attrayante. Mais il y manquait des clefs de lecture permettant d'expliquer son terrible état de déclin. Or ce sont, explique-t-il dans ses Mémoires, les travaux de Mohammed Abduh et du réformiste libanais Ahmed Ridha (1872-1953) qui lui ont donné la clef — politique — de ce déclin oriental : « Enfin et surtout, je fis la découverte, à la librairie En-Nadjah, de deux livres que je considère comme les plus lointaines et les plus déterminantes sources de ma vocation intellectuelle. Je veux parler de *La Faillite morale de la politique occidentale en Orient* d'Ahmed Ridha et de la *Rissalat al-tawhid* du cheikh Mohammed Abduh, traduction de Mustapha Abderrazak, en collaboration avec un orientaliste français. Ces deux ouvrages marquèrent, je crois, toute ma

---

1 Voir notamment la thèse de Tariq RAMADAN, *Aux sources du renouveau musulman. D'Al-Afghani à Hassan al-Banna : un siècle de réforme islamique*, Bayard/Centurion, Paris, 1998.

génération de la médersa [2]. Je leur dois, en tout cas, la tournure de mon esprit depuis cette époque. En effet, l'ouvrage de Ridha me donnait, avec une abondante documentation sur les splendeurs de la société musulmane à l'apogée de sa civilisation, un étalon juste pour mesurer son affligeante détresse sociale actuelle. Et l'ouvrage d'Abduh, je veux parler de l'introduction importante de ses traducteurs sur la richesse de la pensée islamique à travers les siècles, me donnait un point de référence pour juger de son effrayante pauvreté intellectuelle dans le présent. Ces lectures corrigeaient mon spleen, cette nostalgie de l'Orient que me donnaient Loti, Claude Farrère, même Lamartine ou Chateaubriand. Elles me révélaient un Orient historique et réel dont je prenais conscience ainsi que de sa condition misérable actuelle. Elles constituèrent une autre force de rappel d'ordre intellectuel qui m'empêcha de verser dans le romantisme qui était alors à la mode, parmi cette génération d'intellectuels algériens. »

Il existe de nombreuses autres illustrations « par l'objet » de la continuité de pensée entre les réformistes et les Frères. À l'autre bout de la planète arabe, dans le Yémen de l'imam Yahyâ, le mouvement modernisateur des « Yéménites libres [3] », on y reviendra, n'a jamais dissocié politiquement l'influence des Frères musulmans d'al-Banna de celle des courants réformistes qui les ont précédés [4].

Dans cette Péninsule arabique, au Yémen mais également en Arabie saoudite, des efforts réformistes avaient certes précédé le courant d'al-Afghani. Peuvent-ils être également associés à la gestation de l'islamisme du XXe siècle ? Les moins connus sont ceux des Yéménites Mohamed b. Isma'îl al-Amîr (+ 1769) et Mohamed al-Shawkanî (1760-1834) [5]. Ce dernier, un juge zaydite (chiite)

---

2 Filière de formation des étudiants algériens musulmans.

3 Leigh Douglas, *The Free Yemeni Movement, 1935-1962*, AUB, Beyrouth, 1987.

4 François Burgat et Mohamed Sbitli, « Les "Libres" yéménites, le courant réformiste et les Frères musulmans. Premiers repères pour l'analyse », in Chérif al-Maher et Salam Kawakibi (dir.), *Le Courant réformiste musulman et sa réception dans les sociétés arabes*, Actes du colloque d'Alep à l'occasion du centenaire de la disparition de cheikh Abd al-Rahmân al-Kawâkibî, 31 mai-1er juin 2002, IFPO, Damas, 2003.

5 Voir notamment Bernard Haykel, *Revival and Reform in Islam. The Legacy of Muhammad al-Shawkanî*, Cambridge University Press, Cambridge, 2003.

demeuré près de quarante années au service des imams des hauts plateaux du Yémen du Nord, a été l'un des premiers à dénoncer les méfaits de l'imitation irréfléchie (*taqlîd*) de la tradition au détriment des adaptations innovatrices que permet l'*ijtihad*. Sa pensée contient également en germe quelques références au constitutionnalisme et à la limitation des pouvoirs du gouvernant, à qui il suggère d'accepter les conseils de la nation[6]. Ses réflexions ont profondément inspiré Abduh[7]. Il a enfin et surtout tenté de dépasser les divisions entre les différentes écoles juridiques et les appartenances sectaires zaydite (chiite) et chaféite (sunnite).

Ces antécédents réformistes au choc colonial et la continuité entre Abduh et son ancêtre yéménite Al-Shawkanî relativisent la thèse d'un monde musulman que seule la confrontation à l'Occident aurait réussi à extirper de son immobilisme doctrinal. Ils confortent à l'opposé l'idée que la dynamique réformiste amorcée avant la confrontation coloniale s'est vraisemblablement enrayée dès lors que ses apports ont été assimilés à de possibles concessions faites à la culture de l'envahisseur. Les ressorts de cette logique réactive, qui va marquer toute l'époque qui s'ouvre alors, ont été brillamment démontés par la formule de Tariq al-Bishri, juriste égyptien proche des Frères musulmans : « Quand on résiste, croyez-vous que l'on puisse aller de l'avant ? »

Quelle qu'ait pu être la postérité des efforts d'Al-Shawkanî, une raison au moins suggère toutefois de ne pas l'associer directement à cette séquence du préalable réformiste de l'islamisme contemporain : contrairement aux membres du courant ultérieur d'Al-Afghani, Al-Shawkâni ne s'est pas mobilisé sous la pression d'une menace occidentale clairement identifiée. Il a peut-être

---

6 Voir notamment Franck MERMIER, Bernard HAYKEL et Gabriele VOM BRUCK, *in* Franck MERMIER et *alii* (dir.), *Le Yémen contemporain*, *op. cit.* « D'une part celui qui gouverne au nom de l'islam a une responsabilité à l'égard de la nation. D'autre part, la nation a elle-même des devoirs à son égard. L'une des premières est l'obéissance. Une autre est de lui prodiguer des conseils. »

7 Qui écrira : « Ma voix s'est élevée pour appeler à deux très grandes entreprises. [...] La première était de libérer la pensée de l'imitation (*taqlîd*). La seconde [...] était la nécessité de différencier l'obéissance que doit le peuple au gouvernant et le droit du peuple à la justice de la part de ce gouvernant » (cité par Ahmed AMIN, *Zu'amâ al Islah fi al 'Asr al Hadîth* [Les pères de la réforme à l'ère contemporaine], Dar al-Kitâb al-'arabî, Beyrouth, 1979, p. 84).

seulement cherché à aider les imams zaydites, qu'il a servis fidèlement pendant quarante années, à sortir du ghetto de leur appartenance sectaire, pour mieux légitimer ce faisant leur domination
sur leurs vassaux sunnites chaféites. Il a enfin et surtout tenté de
dépasser les divisions entre les différentes écoles juridiques et les
appartenances sectaires.

Celui des réformistes du XVIIIᵉ siècle, dont la notoriété a largement survécu, est le « Saoudien » Mohamed Abdelwahhab [8].
À partir de 1744, le prédicateur najdî entreprend une réaffirmation
rigoriste du monothéisme et de l'unicité divine. Il met sa prédica-
tion au service de la dynastie naissante de Mohamed Ibn Sa'ûd,
avec qui il fait le pari de s'allier, lui offrant en quelque sorte la
logistique idéologique qui va permettre au souverain d'unifier une
large partie de la Péninsule et d'y donner naissance à une entité
politique stable et autocentrée. Au regard de l'islamisme contemporain, le statut de la démarche d'Abdelwahhab est donc plus
ambivalent que celui du Yéménite Al-Shawkanî.

S'il n'est pas le produit d'une réaction à une menace occidentale,
son message a en effet une résonance « nationaliste » de portée
internationale. Il contribue à faire émerger, au détriment de
l'Empire ottoman, une nation arabe nouvelle. Il a une dimension
fédératrice, puisqu'il permet à un pouvoir politique centralisé de
transcender les divisions des différentes écoles sunnites. Il a également une portée réformatrice : le fédéralisme du « wahhabisme »
dénonce en effet les formes politico-religieuses illégitimes, considérées comme attentatoires à l'unicité divine. À l'est, il combat
donc le chiisme et le « culte » d'Ali et, un peu partout ailleurs,
celui des saints que prônent les soufis. L'empreinte du wahhabisme, fût-elle encore souvent caricaturée par la littérature
contemporaine [9], marquera durablement les expressions

---

8 Voir Natana J. DELONG-BAS, *Wahhabi Islam. From Revival and Reform to Global Jihâd*,
   I. B. Tauris, Oxford/New York, 2004 ; Alexei VASSILIEV, *The History of Saudi Arabia*, New York
   University Press, New York, 2000 ; Guido STEINBERG, *Religion und Staat in Saudi-Arabien. Die
   wahhabitischen Gelehrten, 1902-1953*, Ergon, Würzburg, 2002 ; voir également *La Pensée*,
   nº 335, juillet-septembre 2003.
9 Pascal MÉNORET, « Le wahhabisme, arme fatale du néo-orientalisme », *Mouvements*,
   novembre 2004.

ultérieures de la dynamique de réislamisation, y compris (s'agissant de la réserve à l'égard de certaines expressions du soufisme) la pensée des Frères musulmans.

Pour l'essentiel, dans le contexte du tête-à-tête colonial, la première génération islamiste va contribuer ensuite à réaffirmer la place de la référence religieuse dans le lexique des luttes indépendantistes, non plus seulement intellectuelles mais également politiques. Même s'il y a été largement utilisé, le lexique islamique n'a pas eu en effet le monopole d'expression de la mobilisation indépendantiste anti-occidentale [10]. Les nationalistes de la première génération ont puisé très largement dans l'arsenal conceptuel de la puissance coloniale, et plus encore dans celui de son *alter ego* et concurrent soviétique. Le socialisme « anti-impérialiste » ainsi que le nationalisme « ethnique » — c'est-à-dire l'arabisme dit laïque dont les premiers idéologues, le Syrien Michel Aflaq en tête, comptèrent significativement des penseurs chrétiens — ont occupé une large part de l'espace traditionnellement dévolu à la référence religieuse. Bon nombre des futurs membres de la génération islamiste feront un passage par l'univers de cet arabisme « socialiste » et « laïque » avant d'éprouver, au terme d'itinéraires très diversifiés, un identique besoin de redonner à la référence religieuse sa place dans l'expression du projet indépendantiste [11].

La première génération islamiste va toutefois échouer, en Tunisie ou en Algérie notamment, à capitaliser les fruits politiques de sa démarche et à contrôler l'appareil d'État laissé par le départ des colonisateurs. Ses représentants, que ce soient les Frères musulmans égyptiens, le courant de Malek Bennabi et de l'Association des oulémas fondée par le cheikh Ben Badis en Algérie ou les Youssefistes tunisiens [12], se font en effet à peu près

---

10 Albert HOURANI, *Arabic Thought in the Liberal Age, 1798-1939*, Cambridge University Press, Cambridge, 1983 (traduction française : *La Pensée arabe et l'Occident*, Naufal, Bruxelles, 1992). Pour l'Algérie, voir par exemple Jean-Robert HENRY et Claude COLLOT, *Le Mouvement national algérien. Textes*, L'Harmattan-OPU, Paris, 1978.

11 Voir Henry LAURENS, *L'Orient arabe. Arabisme et islamisme de 1978 à 1945*, Armand Colin, Paris, 1993.

12 Dont la pensée de Malek Bennabi illustre parfaitement la modernité (voir Malek BENNABI, *Vocation de l'islam*, Seuil, Paris, 1954).

systématiquement écarter du pouvoir, au bénéfice des élites indépendantistes dites « laïques ». Toutes les péripéties de ce processus, et notamment le rôle joué par les puissances coloniales dans la cooptation de leurs « interlocuteurs » indépendantistes, tout particulièrement dans le cas du FLN algérien, n'ont pas encore été complètement documentées [13].

Les désillusions de la décolonisation : du déficit culturel à l'autoritarisme politique

La *deuxième temporalité islamiste* s'étend de la période des indépendances jusqu'au début des années 1990. C'est celle de l'affirmation de la formule politique des élites autochtones parvenues au pouvoir. Et c'est aussi celle de la contestation naissante de ces élites. Aujourd'hui, le principal repoussoir politique des fondateurs d'Al-Qaida est à l'évidence cette génération « nassérienne » ou, ailleurs dans la région, « nassériste », des élites indépendantistes. Elle fait progressivement l'objet de la part de la génération islamiste montante d'une double accusation. L'une est de ne pas tenir les promesses des indépendances en ne poursuivant pas, sur le terrain symbolique, la rupture à l'égard du colonisateur. L'autre, qui va émerger plus lentement, est celle de n'opposer aux premières demandes de participation politique qu'un autoritarisme répressif.

Entre les courants islamistes, qui sont pour l'essentiel dans l'opposition, et les élites au pouvoir, le différend porte donc d'abord sur une sorte de déficit « culturel » des indépendances. Les islamistes veulent voir se poursuivre sur le terrain idéologique et symbolique le processus de remise à distance du colonisateur qui vient de s'achever sur le terrain politique avant de se prolonger sur

---

13 L'une des situations les plus emblématiques est sans doute celle de certains futurs militaires algériens de haut rang : jeunes officiers dans l'armée française, beaucoup ne désertèrent pour rejoindre la lutte de libération que quelques mois avant l'indépendance, et ils réussiront ensuite à s'installer très durablement au pouvoir, où ils joueront dans les années 1980 et 1990 le rôle que l'on sait dans le verrouillage du système politique.

le terrain économique avec les « nationalisations » (du pétrole, des terres agricoles, du canal de Suez, etc.). Ils réclament une rupture avec les catégories, notamment marxisantes, de l'« anti-impérialisme » puis du « tiers-mondisme » utilisées pendant la première temporalité de la dynamique nationaliste. Les élites modernisatrices au pouvoir s'entendent donc reprocher de ne pas assumer la rupture culturelle et symbolique attendue avec l'univers colonial — en d'autres termes, leur inaptitude à parfaire la « remise à distance » du dominant étranger en restaurant le primat du système symbolique « islamique », c'est-à-dire « endogène ». Au Maghreb, les tensions liées à la persistance de l'usage de la langue française et à la marginalisation par l'État des institutions religieuses (notamment universitaires) héritées du système « islamique » précolonial constitueront la partie émergée de ce processus. Les élites au pouvoir seront très vite identifiées au « parti de la France ». À vrai dire, l'indépendance, témoigne le Tunisien Rached Ghannouchi, l'exilé de l'« armée des vaincus de Bourguiba » selon sa propre expression, « bien plus qu'une victoire sur l'occupant français, constituait plutôt une victoire sur la civilisation arabo-islamique de Tunisie [14] ».

Le registre culturel de ces premières revendications va s'élargir ensuite pour englober plus banalement la dénonciation de l'autoritarisme croissant des régimes et les prémisses de cette « formule politique arabe » par laquelle les élites indépendantistes parvenues au pouvoir vont très vite ressentir le besoin de se protéger. Ce verrouillage du champ politique va progressivement apparaître comme d'autant moins acceptable qu'il bénéficie de la tolérance attentionnée et, souvent, du soutien explicite des anciennes puissances coloniales. Plus encore qu'en réaction à la violence coloniale elle-même, c'est à la répression exercée par les élites indépendantistes (dont celle de Nasser contre les Frères musulmans constitue la référence fondatrice) que les premières excroissances radicales (celle de Qutb en tête) vont apparaître au

---

14   Cité *in* François Burgat, *L'Islamisme en face, op. cit.*, p. 48 *et sq.*

cours de cette deuxième temporalité. Dans l'immense majorité des cas, les expressions de la mobilisation islamiste sont très tôt interdites d'accès à la scène politique légale. Leurs membres sont donc longtemps cantonnés à l'action clandestine, ou, au mieux, aux marges institutionnelles (syndicats, mouvement associatif naissant) de la vie politique. Plus leur capacité de mobilisation va s'affirmer, plus la politique d'exclusion des régimes et l'ostracisme des médias occidentaux vont se durcir.

Malgré la diversité des configurations nationales, la recette de la radicalisation d'une partie de la population islamiste va se cristalliser à l'aide des mêmes ingrédients : des régimes ayant épuisé le capital des ressources nationalistes (Algérie, Tunisie, Maroc) ou révolutionnaires (acquises dans les révolutions populaires ayant succédé aux indépendances, Égypte, Libye) vont en effet progressivement harmoniser leurs pratiques de pouvoir dans le moule d'une quasi-« norme institutionnelle arabe ». Malgré les entorses manifestes à tous les préceptes humanistes brandis par l'Occident, ils vont bénéficier du soutien actif de ce dernier.

Après une phase d'exubérance nationaliste, le renversement des cours du pétrole et les mécanismes de l'intégration économique mondiale conduisent inexorablement les élites indépendantistes à accepter, à partir des années 1980, de nouvelles formes de dépendance, faisant à leur environnement occidental d'autant plus de concessions que leur assise populaire va en s'affaiblissant. Progressivement, les héros des indépendances et autres révolutionnaires tiers-mondistes — ou leurs héritiers — vont être accusés non seulement de reconduire les termes de la domination culturelle mais, de plus en plus, de cautionner, avec les armes de la répression politique la plus déshumanisée, une nouvelle « re-dépendance », économique d'abord, politique ensuite (et même militaire au Proche-Orient, dès lors que les États de la région cesseront de résister aux exigences israéliennes).

Dans les monarchies pétrolières conservatrices supposées être restées plus proches de la référence religieuse, le passage par une certaine « sécularisation » puis par l'autocratisme et la (re)dépendance, est en fait bien présent, et il va nourrir d'identiques tensions[15]. En Arabie saoudite, au cours des années 1980, on y reviendra, les oulémas sont réduits au rôle d'accessoires du pouvoir, de distributeurs de *fetwas* financières légitimant les modes de développement, ou à celui d'opposants silencieux. L'emprise de la norme religieuse se rétrécit progressivement à l'espace du seul statut personnel, ne conquérant de nouvel espace que celui de la finance dite « islamique ». En Arabie, le prix politique de la dépendance à l'égard de l'Occident se révèle par ailleurs proportionnel à l'appétit américain et européen pour la ressource pétrolière. Autoritarisme et compromission avec les puissances occidentales vont donc inexorablement constituer le socle sur lequel la revendication islamiste d'abord, la radicalisation d'une partie de ses membres ensuite vont se développer.

Face à la « recolonisation » : Al-Qaida et la troisième temporalité de l'islamisme

> « Les États-Unis sont en train de devenir pour le monde un problème. Nous étions plutôt habitués à voir en eux une solution. Garants de la liberté politique et de l'ordre économique durant un demi-siècle, ils apparaissent de plus en plus comme un facteur de désordre international, entretenant, là où ils le peuvent, l'incertitude et le conflit. »
>
> Emmanuel TODD, 2002 [16].

> « Vous êtes-vous posé la question de savoir pourquoi ce n'est pas la Suède que nous avons attaquée ? »
>
> Oussama BEN LADEN, message au peuple américain, 2004.

La *troisième temporalité islamiste*, au cours de laquelle s'opère la cristallisation de la mouvance d'Al-Qaida, s'ouvre au début des années 1990. Elle consacre une sorte de transfert sur la scène internationale, ou plutôt un « retour » à l'international, des luttes oppositionnelles dans le monde arabe. Pour une génération politique, les puissances occidentales, à la tête desquelles se sont

---

15   Voir Pascal MÉNORET, *L'Énigme saoudienne*, La Découverte, Paris, 2004.
16   Emmanuel TODD, *Après l'empire. Essai sur la décomposition du système américain*, Gallimard, Paris, 2002.

imposés les États-Unis, « redeviennent » progressivement l'adversaire prioritaire qu'elles avaient été durant la période coloniale.

L'image d'une transition nouvelle « de l'ennemi proche à l'ennemi lointain » — employée par l'Égyptien al-Dhawahiri pour décrire la stratégie de son organisation extrémiste — se rapproche ainsi de celle d'un retour à l'affrontement binaire de la configuration coloniale, la toute-puissance de l'ennemi étranger s'étant réaffirmée envers et contre la présence des élites gouvernantes, réduites au rang de relais protégés des nouveaux titulaires de l'« Empire ».

Trois grands « dénis de représentation », pour l'essentiel, sont à l'origine de la radicalisation et de la transnationalisation de la rébellion qui va gagner une partie des rangs islamistes. Le premier d'entre eux est celui dont souffre la génération montante des oppositions aux ordres étatiques arabes, laquelle mesure année après année l'étanchéité du verrouillage de la formule politique qui s'est substituée un peu partout aux promesses fugitives de « transition démocratique ». Le deuxième « échec du politique » est régional : il résulte de l'exacerbation du conflit israélo-arabe, plus « dissymétrique » que jamais [17], et de l'état d'abandon dans lequel se retrouvent, dès que se referme l'impasse des accords d'Oslo de 1993, les espoirs du camp palestinien, affaibli de surcroît par l'effondrement de son allié soviétique traditionnel. Le troisième dysfonctionnement politique est mondial : l'effondrement de l'URSS, en mettant fin à la division du « camp occidental », a fait disparaître une forme de régulation essentielle des appétits de Washington, dont la politique étrangère va désormais s'organiser autour d'un interventionnisme de plus en plus unilatéral : « Cette guerre [américaine en Irak en 2003], confirme Rashid Khalidi, voulait en premier lieu démontrer que les États-Unis étaient en mesure de s'affranchir de la tutelle de la loi internationale, de la nécessaire consultation de son opinion, de l'approbation des Nations unies et de la contrainte d'agir au sein d'alliances, [...] les

---

17   Bertrand BADIE, « Palestine, quelles perspectives ? », conférence donnée à l'IEP de Paris, le 19 janvier 2004.

événements du 11 septembre étant [...] une occasion en or de réaliser ce but si longtemps caressé [18]. »

La corrélation de ces trois niveaux de crise — national, régional et mondial — va progressivement creuser le fossé du malentendu entre, d'une part, les millions de citoyens qui dans toute une région du monde, s'en estiment les victimes et, d'autre part, la coalition de ceux qui, au niveau mondial, régional ou dans les différents ordres nationaux, en sont les bénéficiaires : l'administration américaine et ses alliés idéologiques néoconservateurs, l'État hébreu ensuite, largement soutenu par son opinion publique et ses puissantes capacités de communication, les élites gouvernantes arabes enfin, démunies le plus souvent de tout support populaire. C'est en quelque sorte cet échec généralisé de la régulation politique des tensions du monde qui ouvre au début de la décennie 1990 la boîte de Pandore de la radicalisation islamiste. La rébellion d'Al-Qaida, enfant monstrueux des injustices du monde, peut être considérée comme l'une de ses principales expressions.

Dans les environnements occidentaux globalement démocratiques, les revendications du courant altermondialiste signalent, avec des moyens radicalement différents, des dysfonctionnements politiques et économiques qui ne sont pas, *mutatis mutandis*, complètement sans rapport avec ceux qui ont contribué à l'émergence d'Al-Qaida. Dans les terroirs où — enjeux pétroliers et sécurité israélienne obligent — la domination occidentale prend une intensité toute particulière et où, par-dessus tout, la formule politique locale interdit toute forme de protestation légaliste, la radicalisation va déboucher sur l'émergence de la rhétorique puis de la pratique révolutionnaires et de la radicalisation sectaire d'Oussama Ben Laden et de ses partisans.

---

18   Rashid KHALIDI, *L'Empire aveuglé. Les États-Unis et le Moyen-Orient*, Actes Sud, Arles, 2004.

L'impunité des « Pinochet arabes »

L'emprise de la « norme institutionnelle » arabe, cautionnée par l'ordre international, se traduit avant tout par l'interdiction et, progressivement, la criminalisation des forces politiques réelles[19]. Les partis privés d'existence ou d'accès à la scène politique légale représentent dans leur immense majorité le tronc central du courant islamiste. Les régimes leur substituent des « partenaires » oppositionnels préfabriqués pour les besoins de la mise en scène d'un « pluralisme » destiné avant tout à crédibiliser, à l'étranger, une démocratie de façade. Refusant de payer le prix de l'existence de véritables mécanismes de représentation, c'est à la répression que recourent ces régimes pour affronter les tensions nées inévitablement de cette profonde dichotomie entre le réel et l'institutionnel.

De Riyad à Rabat, la torture est d'un usage banalisé et systématique. Elle ne frappe pas que les détenus politiques, mais aussi très fréquemment leurs proches, hommes et femmes[20]. La présence — mais également la mise en scène médiatique et, régulièrement, la manipulation, souvent massive — des franges extrémistes de l'opposition islamiste sert de prétexte au verrouillage de la scène politique légale. L'Égypte du président Moubarak, « élu » en septembre 2005 pour un cinquième mandat de six années, vit ainsi, depuis 1981, sous le régime de la loi d'exception. Un peu

---

19 Voir notamment François BURGAT, « De A comme Arafat à Z comme Zîn al-'Abidîn Ben Ali : la pérennité de la formule politique arabe », *in L'Islamisme en face, op. cit.*, p. 244 *et sq.*

20 Outre les rapports convergents d'Amnesty International, voir notamment : COMITÉ POUR LE RESPECT DES LIBERTÉS ET DES DROITS DE L'HOMME EN TUNISIE, *La Torture en Tunisie 1987-2000. Plaidoyer pour son abolition et contre l'impunité*, Le Temps des Cerises, Paris, 2004 ; Mahmoud KHELILI, *La Torture en Algérie (1991-2001)*, Algeria-Watch, octobre 2001 ; Youcef BEDJAOUI, Abbas AROUA, Meziane AÏT-LARBI, *An Inquiry into the Algerian Massacres*, Hoggar, Genève, 1999 ; Lahouari ADDI, « La torture comme pratique d'État dans les pays du Maghreb », *Confluences*, n° 51, octobre 2004.
Les organisations égyptiennes des droits de l'homme ont dénombré une vingtaine de personnes mortes sous la torture en 2003 et 2004 et 292 cas avérés de torture, entre janvier 1993 et avril 1994. L'État égyptien a refusé la venue du rapporteur spécial des Nations unies sur la torture (dont le Conseil national pour les droits de l'homme égyptien, dans son premier rapport d'avril 2005, souligne qu'elle est une « pratique normale d'investigation »).

partout, le système électoral, débrayé de toute prise sur le rapport de forces au sommet de l'État, ou « désamorcé » selon l'excellente expression du politologue marocain Mohamed Tozy[21], fonctionne à vide.

Last but not least, cette « formule politique arabe » est consubstantielle d'un soutien occidental à peu près sans réserve. La première des contradictions du nouvel ordre mondial américain est bien sûr de s'accommoder du profond discrédit des régimes autoritaires sur lesquels il s'appuie. On peut voir là un aveuglement persistant, né notamment de la propension américaine héritée de la crise iranienne de 1979-1980 à criminaliser indistinctement l'entière génération islamiste. Ou, au contraire, une grande lucidité sur la portée nationaliste de la poussée islamiste et sur les bénéfices que, fût-ce au prix du sacrifice de quelques principes, la présente formule procure à ceux qui en sont les maîtres d'œuvre.

Le socle des ressources mobilisatrices des adeptes de Ben Laden repose ainsi sur la frustration d'une génération politique qui s'estime prise entre le marteau de l'interventionnisme de plus en plus musclé de l'Amérique et l'enclume de l'autoritarisme répressif de ses propres élites gouvernantes. C'est sur la main américaine perçue comme tenant le marteau que, au cours des années 1990, vont peu à peu se concentrer les stratégies de libération.

La Palestine emmurée

Au cœur du dysfonctionnement de la régulation politique du monde se trouve ensuite, sans surprise, le vieux conflit israélo-arabe pour la Palestine. Au cours de la décennie 1990, l'OLP, qui

---

21 Mohamed Tozy, « Représentation/Intercession. Les enjeux de pouvoir dans les "champs politiques désamorcés" au Maroc », *in* Michel Camau (dir.), *Changements politiques au Maghreb*, CNRS, Paris, 1991, p. 153-168. Sur un mode moins académique, mais tout aussi éloquent, Mohamed Qahtân, l'un des leaders de l'opposition yéménite, proche des Frères musulmans, décrit la compétition électorale dans le monde arabe comme un match de football dont la particularité serait que, « à la différence de l'équipe de l'opposition, l'équipe du pouvoir a le droit de jouer avec les mains ». « Mais on aime le sport, ajoute-t-il, alors, on joue quand même » (entretien avec l'auteur, Sanaa, mars 2003).

franchit le pas spectaculaire de la reconnaissance officielle de l'État d'Israël, ne reçoit, à mesure que se révèlent les véritables contours des accords d'Oslo, que d'illusoires compensations administratives. L'image de bantoustans asphyxiés, redessinés par d'incessantes excroissances colonisatrices, se substitue inexorablement à celle d'un État palestinien viable, dont la création est sans cesse repoussée. Bien avant l'arrivée au pouvoir du Likoud, ce sont les travaillistes pourtant réputés « partisans de la paix » qui ont initié cette colonisation systématique de la Cisjordanie, qui a vidé de son sens le principe proclamé d'un « échange de la terre contre la paix ».

À partir de la fin 2000, la seconde Intifada donne aux jusqu'au-boutistes du camp Sharon le prétexte pour réoccuper purement et simplement les enclaves palestiniennes et faire passer à la violence un nouveau seuil. Des camps de réfugiés sont pris d'assaut à l'arme lourde et au bulldozer. Plus encore que dans son principe, c'est dans son tracé que le « mur de sécurité », qui permet d'annexer des centaines d'hectares de terres palestiniennes, démontre la réalité de la stratégie israélienne. Pour tous les Palestiniens, et pour ceux qui, ailleurs dans le monde, ont conservé le privilège d'une information raisonnablement objective, il devient vite clair que les Israéliens ne souhaitent pas seulement la paix, mais qu'ils convoitent également... la terre occupée depuis 1967. Il devient clair également que l'administration américaine, pas plus celle de Bush Jr que celle de Clinton, n'a l'intention réelle de s'opposer à cette politique d'annexion inavouée de pans entiers de la Cisjordanie[22].

---

22 Jean-François Legrain, « La Palestine, de la terre perdue à la reconquête du territoire », *Cultures et conflits*, dossier « L'international sans territoire », 2005 ; Laetitia Bucaille, *Génération Intifada*, Hachette Littératures, Paris, 2002.

« Contre Dieu » plutôt que « contre ses saints » : Al-Qaida à l'assaut de l'ordre mondial américain

Au début des années 1990, la formule postcoloniale a cédé le pas à un nouvel ordre « impérial », dominé plus manifestement encore que jadis par les États-Unis d'Amérique. Les procédés qu'emploie Washington pour pérenniser son hégémonie ou la parfaire ne sont certes pas nouveaux. En 1973, au Chili, un premier « 11 septembre » avait fait naître, sur les cendres d'une démocratie « rebelle », une terrible dictature « soumise[23] ». Aux objectifs visés par la mise sous tutelle de tout le continent sud-américain[24] s'ajoutent, au Proche-Orient, le caractère stratégique des enjeux pétroliers et les exigences propres de la sécurité de l'État hébreu. Dans la région, le principe de l'éviction d'une équipe gouvernementale dûment élue, mais jugée trop nationaliste, au profit d'un régime autoritaire plus conciliant, avait été inauguré dès août 1953 par le renversement, de concert avec les Britanniques, du Premier ministre iranien Mossadegh.

C'est la seconde guerre du Golfe de 1991 qui ouvre la décennie interventionniste américaine dans la Péninsule. Jusqu'alors allié privilégié des États-Unis, la dictature irakienne, pour prix de sa « malencontreuse » tentative de s'emparer, en août 1990, des puits de pétrole du Koweït, va faire les frais du retournement de la diplomatie américaine et de la mobilisation onusienne. Après les divisions sacrifiées de l'armée de Saddam Hussein, pilonnées par les B-52, ce sont les populations civiles irakiennes qui vont, par centaines de milliers, payer le prix de l'embargo économique mis ensuite en place par la coalition. Le désarmement de l'unique

---

23 C'est le 11 septembre 1973 qu'au Chili, le général Augusto Pinochet a renversé, à l'aide de la CIA américaine, le régime du président élu, Salvador Allende. La junte allait ensuite, avec un soutien américain renouvelé, multiplier sévices et éliminations des membres de cette opposition « marxiste » réputés menacer les intérêts économiques de Washington.

24 « Jamais les États-Unis n'ont officiellement possédé de colonies en Amérique latine. Mais des colonies *de facto*, oui. Du début du XIXᵉ siècle aux années 1930, la politique du "gros bâton" — les interventions armées et les occupations d'États souverains — a permis à Washington de préparer le terrain aux dictateurs qui, ultérieurement, pour le malheur des peuples, se comporteront en parfaits supplétifs » (Maurice LEMOINE, « Du "destin manifeste" des États-Unis », *Le Monde diplomatique*, mai 2003).

puissance régionale capable de résister militairement à l'État hébreu donne également à Washington l'occasion de pérenniser sa présence armée dans les pays riverains de l'Irak, dont l'Arabie saoudite. L'épisode fondateur de la mise en coupe réglée de la plus importante réserve mondiale de pétrole vient de se jouer[25]. Il est au cœur de la rébellion à venir du camp d'Al-Qaida.

Le théâtre d'opérations des initiatives les plus contestées de la diplomatie américaine et occidentale des années 1990 ne se réduit pas à la Péninsule arabique. La décennie s'est ouverte en Algérie sur une double victoire électorale (juin 1990 et décembre 1991) d'une opposition composite regroupée dans un « Front islamique de salut ». Le FIS n'est sans doute pas significativement plus démocratique que les militaires dont il menace alors les intérêts, mais pas nécessairement moins non plus. Et la toute-puissante institution présidentielle, qui verrouille la Constitution et dispose de la force armée, limite considérablement la portée d'action de sa possible majorité parlementaire. Sous prétexte de « préserver la démocratie », l'Europe et les États-Unis vont tout de même laisser le pouvoir militaire confisquer le résultat de ces premières élections concurrentielles et mettre en œuvre, à partir de janvier 1992, une épouvantable stratégie répressive.

Au silence approbateur des États-Unis, fait écho un soutien médiatique, politique et économique avéré de la France de François Mitterrand. Aux yeux de l'écrasante majorité de l'opinion qui, dans le monde musulman, ne partage pas l'explication que Paris et Alger tentent de crédibiliser, le sentiment d'un dualisme occidental cynique s'impose un peu plus. Un identique dualisme est ressenti en 1995, lorsque, en Bosnie, des milliers de citoyens de

---

25 « Cette guerre [contre l'Irak] avait [...] pour but de réorganiser, selon les critères ultralibéraux des fervents idéologues de l'administration Bush, l'économie d'un pays qui possédait les deuxièmes réserves pétrolières du monde. [...]. La guerre avait ensuite pour objectif d'établir à long terme des bases militaires américaines au cœur du Moyen-Orient, dans l'un de ses principaux pays. Les hauts responsables de la stratégie américaine estimaient nécessaire de remplacer d'autres bases, de plus en plus contestées, établies en Arabie saoudite en 1991, après la guerre du Golfe. Cette guerre avait également pour but de détruire l'un des plus anciens régimes nationalistes du tiers monde, régime qui avait parfois défié les États-Unis et leurs alliés (notamment Israël), pendant et après la guerre froide » (Rashid Khalidi, *L'Empire aveuglé, op. cit.*).

confession musulmane sont massacrés malgré la présence des troupes occidentales, sous mandat onusien, censées être venues les protéger.

Enfin, hors du Proche-Orient mais en terre musulmane également, l'ordre américain nouveau accorde à son ex-ennemi russe un total blanc-seing pour conduire en Tchétchénie, dans les débris de son empire, une guerre coloniale aussi barbare que celle qu'il vient de perdre en Afghanistan [26].

De la transnationalisation des politiques sécuritaires à l'internationalisation d'une résistance « islamique »

Dans l'imaginaire de toute une génération, et pas seulement chez les islamistes, les crises politiques internes au monde arabe et à une partie du monde musulman sont de plus en plus systématiquement associées à cet ordre qui se veut mondial mais semble de plus en plus n'être qu'américain. La propension de Washington à recourir au *hard power* s'accroît, à l'instar de celle de ses relais étatiques arabes, à recourir à la répression. Toutes deux traduisent un commun déficit de légitimité politique. Non seulement cet ordre mondial s'« américanise » (du fait de la disparition du contrepoids soviétique), mais il tend à se confessionnaliser, les néoconservateurs faisant un usage accru de la référence chrétienne. Il tend également à se priver de la caution, au demeurant de moins en moins crédible, des institutions internationales dominées par Washington.

Pour des millions de citoyens du monde musulman (et pas seulement pour eux), le mirage d'un « nouvel ordre » mondial universaliste, désintéressé et pacifique, cède irrésistiblement le pas à la réalité du soutien qu'une superpuissance arrogante et de plus en plus manifestement autiste apporte par tous les moyens, y compris militaires, à un seul camp, dont les acteurs sont faciles à identifier. Ce sont d'abord les porteurs de ses propres intérêts

---

26 Voir Comité Tchétchénie, *Tchétchénie, dix clés pour comprendre*, La Découverte, Paris, 2003.

financiers et de sa vision idéologique étroite, c'est-à-dire, respectivement, une petite caste militaro-industrielle étroitement liée au pouvoir et un électorat chrétien et juif très organisé ; ce sont ensuite les acteurs étatiques régionaux qui l'aident à les défendre : Israël d'une part, les régimes autoritaires arabes d'autre part.

Au cours de la décennie 1990, la corrélation entre l'interventionnisme américain et la poussée répressive des ordres étatiques internes arabes va devenir ainsi de plus en plus manifeste. Avant même le 11 septembre 2001, la systématisation et l'institutionnalisation d'une coopération sécuritaire vont lui donner une nouvelle expression. La « lutte antiterroriste » va achever d'identifier certains de ces régimes arabes avec l'ordre américain et, à l'inverse, les intérêts américains avec la pérennité de ces régimes, malgré leur déchéance populaire manifeste.

La formule qui soude cette transaction illégitime entre l'ordre mondial et les dictatures repose sur un échange de ressources : les régimes autoritaires « rémunèrent » le silence et le soutien occidental par des concessions qui vont des commandes massives d'armement à l'aide au contrôle des cours du pétrole en passant par des prébendes plus personnalisées — dont l'histoire des relations bilatérales américano-saoudiennes, bien sûr, mais également celle des relations franco-algériennes porteront longtemps la mémoire.

Le premier grand sommet mondial contre le terrorisme (islamique) à Charm el-Cheikh au mois de mars 1996 constitue une expression particulièrement emblématique de ce processus. Il précède de cinq mois le premier appel de Ben Laden « à la guerre contre les Américains », lancé le 23 août 1996. Entre les titulaires de l'ordre américain et leurs alliés arabes et israélien, va s'opérer symboliquement une double jonction politique et rhétorique. L'ennemi commun de Clinton, de Poutine, de Netanyahu et de tous les dictateurs arabes s'appelle désormais le « terrorisme islamique ». Une alliance entre les appareils de sécurité américain et européens (Russie incluse), les services israéliens et les appareils répressifs des régimes arabes les plus dictatoriaux, est proclamée. L'ennemi est le « terrorisme islamique », indistinctement désigné.

Il recouvre toutes sortes de réalités : celle de la Palestine de Netanyahu, de la Tchétchénie d'Eltsine puis Poutine, de l'Algérie des
généraux ou de la Tunisie de Ben Ali.

La rhétorique de Charm el-Cheikh consacre en quelque sorte la
criminalisation de toute résistance, armée ou pacifique, aux
dysfonctionnements du front très large des autoritarismes nationaux, régionaux ou mondiaux. Tous les acteurs de ces oppositions
et de ces résistances sont ainsi, par une identique stigmatisation,
« invités » à s'identifier les uns aux autres. Lorsque cette coordination symbolique et politique ne s'est pas déjà opérée, c'est effectivement ce qu'ils vont faire. Aux yeux de beaucoup de ceux qui
en sont désignés comme les « destinataires », la transnationalisation de la répression de toute forme d'expression protestataire ou
oppositionnelle employant le lexique islamique conforte la légitimité et la nécessité d'une identique transnationalisation de la
résistance.

Pour les militants d'Al-Qaida, l'« ennemi » américain « lointain »
scelle ainsi son destin, désormais partagé avec celui de l'« ennemi
proche » et longtemps prioritaire représenté par les régimes arabes.
Dans la mouvance islamiste, l'internationalisation et la reterritorialisation de la lutte armée prennent corps à la même époque, en
écho à cette mondialisation américaine d'un ordre de plus en plus
contesté.

« Moujahid sans frontières », ou la part de l'Afghanistan

L'intégration de plusieurs milliers de jeunes musulmans (entre
10 000 et 15 000) dans les rangs de la résistance afghane à l'occupation soviétique (de 1979 à 1989) constitue un épisode que
l'analyse de la génération Al-Qaida doit bien évidemment prendre
en compte. Ce « facteur afghan » — et l'occasion donnée à
plusieurs milliers de militants de participer victorieusement à la
lutte armée contre la seconde puissance mondiale de l'époque — a
joué à l'évidence un rôle significatif dans la cristallisation et l'affirmation de la génération Al-Qaida — comme le feront, dans une

certaine mesure, les conflits de l'ex-Yougoslavie et, plus tard, celui de Tchétchénie. Il ne saurait être pour autant érigé en facteur explicatif unique ou même central.

Plus encore qu'une opportunité d'entraînement militaire, il a sans doute facilité le « passage à l'acte » en accélérant la circulation et la transnationalisation de la stratégie révolutionnaire. Il a également donné crédit, aux dépens des autres stratégies politiques, à l'efficacité ou simplement à la faisabilité de la lutte armée contre l'un des piliers de l'ordre mondial. La poussée du « camp du refus », composé d'une minorité de partisans de l'action armée, a en effet été favorisée aussi bien par l'échec des luttes conduites dans les enceintes « nationales » (en Égypte et en Algérie notamment) que par l'absence flagrante de débouchés offerts par l'ordre mondial et à ses relais au légalisme du tronc central des courants islamistes, notamment et surtout les Frères musulmans.

L'épisode afghan est construit autour de phases et de logiques successives et relativement différentes. La première, au début des années 1980, a été celle de la mobilisation légale, voire officielle, (du double point de vue de l'environnement arabe et américain) de milliers de jeunes volontaires dans les rangs de la résistance à l'occupation soviétique. La présence légale de ces « combattants sans frontières », ceux que l'on a nommés longtemps les « Afghans arabes » (même s'ils provenaient en fait de l'ensemble du monde musulman), a coïncidé avec la victoire, qui était également la leur, de la coalition des opposants au régime de Kaboul et le retrait des forces soviétiques qui a suivi.

En 1992, a débuté, entre les vainqueurs, une guerre civile de quatre années. Les « Arabes » vont, dans un premier temps, en faire les frais. La nécessité pour la plupart d'entre eux de se replier hors du sanctuaire afghan coïncide avec le début d'une phase de répression accrue par les régimes de leurs pays respectifs (notamment l'Arabie saoudite et l'Algérie) qui se méfient de ceux qu'ils ont imprudemment envoyés ou laissés partir se former au *jihâd*. Et dans le regard des médias occidentaux, les « combattants de la foi » sont brutalement devenus les « fous de Dieu ».

L'arrivée au pouvoir des talibans en 1996 renverse une nouvelle fois la donne régionale. L'accord qu'Oussama Ben Laden passe avec eux reçoit le soutien d'Aïman al-Dhawahiri et des membres de son mouvement égyptien l'organisation Jihâd — la seconde, avec la Gemaa Islamiyya, des deux branches de l'islamisme radical égyptien en lutte ouverte avec le régime — qui ont survécu à la répression particulièrement efficace des années précédentes. Al-Dhawahiri décide alors de déplacer le front de sa vieille (et infructueuse) lutte contre l'ennemi étatique égyptien « proche » vers un ennemi (américain) certes « lointain », mais qui rassemble contre lui un nombre exponentiellement croissant de mécontents. Cette dernière phase donne le signal du déploiement « légal » (du point de vue de leurs hôtes afghans) des réseaux internationaux d'Al-Qaida [27].

Les accusations et les revendications que la génération islamiste avait longtemps dirigées contre les régimes se tournent ainsi prioritairement contre les anciennes puissances coloniales européennes, ou, plus exactement, vers le sommet, américain, de la structure mondiale du pouvoir qui, au lendemain de la défaite de l'URSS, a irrésistiblement pris leur relais.

C'est dans ce contexte que, en avril 1996, un Égyptien du nom de Mohamed Atta rédige son testament. C'est aussi à cette date qu'avec lui la plupart des acteurs des attentats du 11 septembre s'engagent sur la longue route qui, *via* l'Afghanistan, Hambourg et les écoles américaines d'aviation civile, prendra fin un matin de septembre 2001 dans le brasier du World Trade Center.

---

27 Dès décembre 2001, Aïman Al-Dhawahiri a longuement argumenté sa stratégie dans un opuscule dont la teneur essentielle a été rapportée, dans huit de ses numéros (n° 8405 à 8411), par le quotidien londonien en langue arabe *Al-Charq al-Awsat*, sous le titre « Des chevaliers sous la bannière du Prophète ».

Du dévoilement « colonial » à la modernisation « sous le voile » : les temporalités de l'islamisme à l'aune du « voile musulman »

Le capital mobilisateur de l'identité islamique a été, pendant puis après la présence coloniale, l'enjeu de stratégies passionnées. À l'échelle du siècle écoulé, le débat sur le port du voile islamique illustre à sa manière la complexité du choc initié par la colonisation ainsi que les temporalités successives (et la permanence des enjeux) de la réaction « islamiste ».

L'histoire « politique » contemporaine du voile commence dans le contexte de l'affirmation coloniale. Sous l'effet de la montée en puissance de la culture du colonisateur et au nom de la modernisation qu'il entend promouvoir, s'opère une sorte de « désislamisation » symbolique. Dans un second temps, cette « détraditionalisation » modernisatrice, largement reprise à son compte par la première génération des élites indépendantistes, va être combattue par les acteurs de la dynamique de « réislamisation ». Essentiellement opposition-nelle, cette dynamique du « revoilement » sera toutefois relayée dans un petit nombre de cas par des régimes, avec les débordements auto-ritaristes que cela impliquera parfois.

Débuté sur les terres de musulmans alors colonisés, le débat sur le port du voile est sorti aujourd'hui de ses frontières premières pour se mondialiser. Il se tient également, avec une même passion, au sein des sociétés occidentales, où une tumultueuse histoire partagée a désormais installé les anciens « indigènes de la République », descendants des colonisés, avec leurs mémoires, leurs ambitions et leurs droits.

La première secousse liée à la « question du voile » a donc été celle d'une sorte de « détraditionalisation-modernisation » sous influence : à partir des années 1930 environ, un (très) petit nombre de femmes musulmanes, qui à l'instar de leurs mères « ne portaient pas le voile mais étaient nées et avaient grandi dedans [28] », ont décidé de s'en

---

28   Pour paraphraser Mona AL-MUNAJJED, *Women in Saudi Arabia Today*, McMillan, Londres, 1997, chap. 4 (cité par Pascal MÉNORET, *L'Énigme saoudienne, op. cit.*, p. 201).

défaire, entendant marquer par ce geste une étape symbolique de leur émancipation. En 1923, du pont du navire qui la ramenait d'Italie, Hoda Chaarawi, la fille du président du premier Parlement égyptien, Mohamed Sultan Pasha, gouverneur général de la Haute-Égypte, a jeté ostensiblement par-dessus bord un carré de tissu dont sa mère avait sans doute, sans se poser de questions, couvert sa tête depuis son enfance[29]. D'autres figures de la première génération du féminisme « moderne », notamment maghrébines, ont ensuite suivi cet exemple. En 1924, la Tunisienne Manoubia Ouertani ôte solennellement son foulard au club littéraire socialiste de l'Essor. Un certain nombre de femmes font alors de même de leur plein gré, convaincues que ce symbole d'une identité religieuse obère leur autonomie de femme plus qu'il ne la protège. Elles font alors rimer éducation et émancipation avec réinterprétation de la référence religieuse, voire, pour un tout petit nombre, rupture avec celle-ci.

Si certaines agissent de leur propre initiative, toutes recueillent le soutien insistant des autorités coloniales et, de ce fait, suscitent le désaveu d'une composante au moins des élites nationalistes. Déjà, les militantes de la première génération du féminisme arabe sont l'enjeu de stratégies qui ne sont pas toutes de l'ordre de la libération. Ici et là, transparaissent l'ambivalence de cette bienveillance coloniale et la proximité insidieuse entre une possible « émancipation » à venir et le prétexte au maintien d'une très présente « colonisation ». Pour certains théoriciens du colonialisme de l'époque, le statut de la femme arabe, « victime de sociétés arriérées », est en fait « la preuve vivante de l'incapacité de ces sociétés à se gouverner elles-mêmes » et, partant, celle de la légitimité de la présence et de l'action de la puissance « civilisatrice » venue les émanciper[30]. Dans l'Empire britannique, lord Cromer avait fait du voile le symbole du mépris des sociétés

---

29 Hoda Chaarawi (1897-1947) a présidé, dès la révolution de 1919, la première manifestation de trois cents femmes contre l'occupation britannique. Elle est à l'origine de la création de la première association féministe égyptienne en mars 1923. De 1934 à sa mort, elle a été la vice-présidente de l'Union internationale des femmes.

30 Propos cités par Hoda AL-SADDA, « Le discours arabe sur l'émancipation féminine au XXᵉ siècle », *Revue d'histoire*, n° 82, avril-juin 2004, p. 85 (traduit de l'arabe par Ghislaine Alleaume).

musulmanes pour la femme, ce qui lui permettait de se présenter lui-même comme le défenseur de cette femme orientale méprisée. Très significativement, l'altruisme qu'il déployait dans l'empire ne l'empêchait pas, pourtant, en Angleterre, de lutter avec la dernière énergie contre les mouvements féministes [31].

Sous d'apparents dehors humanistes, le discours sur la « libération de la femme musulmane » véhiculait ainsi une partie des contradictions de la rhétorique coloniale : tout en rêvant de la dévoiler, elle lui refusait, tout comme à ses frères ou à ses pères, l'accès à une pleine et entière citoyenneté politique. En Algérie ou ailleurs, le refus de poser le voile a donc progressivement symbolisé l'une des formes de résistance à l'ordre modernisateur — et, de ce fait, à l'ordre tout court — que les puissances coloniales tentaient de maintenir. Frantz Fanon n'a, sans surprise, rien perdu de cette cohérence entre le « dévoilement modernisateur » et la perpétuation de la domination coloniale : « Avant 1954, plus précisément depuis les années 1930-1935, le combat décisif est engagé. Les responsables de l'administration française en Algérie, préposés à la destruction de l'originalité du peuple, chargés par les pouvoirs de procéder coûte que coûte à la désagrégation des formes d'existence susceptibles d'évoquer de près ou de loin une réalité nationale, vont faire porter le maximum de leurs efforts sur le port du voile », note-t-il dans *L'An V de la révolution algérienne* [32].

En Algérie, ces candidates à la « libération » le furent parfois à l'appel de l'épouse de l'un des principaux artisans du maintien militaire de l'ordre colonial, le général Massu, tout comme d'autres allaient le faire, à Aden, en réponse à celui des épouses des officiers britanniques. Le 13 mai 1958, à Alger, sur la place du Gouvernement, lorsque « des musulmanes montent sur un podium pour brûler leur voile », analyse aujourd'hui Houria

---

31 Leila AHMAD, *Women and Gender. The Historical Roots of a Recent Controversy*, traduit de l'arabe par Mona Ibrahim et Hala Kamal, Conseil supérieur de la culture, Le Caire, 1999 (cité par Hoda AL-SADDA, « Le discours arabe sur l'émancipation féminine au XXᵉ siècle », *loc. cit.*).

32 Frantz FANON, *L'An V de la révolution algérienne : sociologie d'une révolution*, La Découverte, Paris, 2001 (cité par Abu Bakr HAROUN, « Fanon, le foulard, et les démons de l'irrationnel », <Oumma.com>, 25 janvier 2004).

Bouteldja, l'enjeu « de cette mise en scène est de taille : il faut pour les autorités coloniales que les femmes algériennes se désolidarisent du combat des leurs. Leur exposition sert de langage : celui d'une puissance coloniale qui œuvre pour gagner les femmes à l'émancipation et à la pérennité de la "civilisation française". Réaction épidermique de la société algérienne : maintenir — et c'est vital — les femmes hors de l'invasion coloniale pour préserver l'être algérien. [...] Certaines, écrit Franz Fanon, dévoilées depuis longtemps, reprennent le voile, affirmant ainsi qu'il n'est pas vrai que la femme se libère sur l'invitation de la France et du général De Gaulle [33]. »

La modernisation revoilée

Une fois dépassé le contexte troublé d'une première dynamique de modernisation « opacifiée » par les interférences de la domination coloniale, des femmes de la même génération vont, elles aussi, poser leur voile mais, cette fois, dans le contexte nouveau des indépendances. Elles le font donc hors de toute pression étrangère, avec, de surcroît, les encouragements d'une première génération d'élites nationalistes encore auréolée de sa victoire sur le colonisateur. Cette seconde page de la modernisation féministe n'est pourtant pas davantage dépourvue de malentendus et de contradictions. Plus radicalement encore que n'ont osé le faire les autorités coloniales, les régimes « modernisateurs » issus des processus d'affirmation nationale ne craignent pas en effet de s'affranchir alors des codes de la culture (religieuse) héritée.

Cette voie a été inaugurée dès les années 1920 en Turquie, quand le « père de la laïcité », Kamel Atatürk, a aboli le califat, mettant fin à toute expression institutionnelle de l'appartenance musulmane supranationale. Il bannit alors l'usage de l'alphabet

---

33 Houria BOUTELDJA, « De la cérémonie du dévoilement à Alger (1958) à Ni Putes Ni Soumises : l'instrumentalisation coloniale et néocoloniale de la cause des femmes », liste « Les mots sont importants » et site <Oumma.com>, 13 octobre 2004.

arabe, adopte le calendrier chrétien grégorien, importe des pans entiers des législations européennes de droit privé comme de droit public[34]. Et, par un décret du 30 août 1925, il interdit aux femmes de porter le voile ; dans le même temps, il choisit de surcroît de proscrire à leurs époux, pères ou frères, le port du fez, la coiffe « traditionnelle », ou perçue comme telle, de leurs pères[35]. À la frontière est de la Turquie, quelques années plus tard (en 1935), l'empereur iranien Pahlavi fait non seulement d'une tête féminine nue, mais également d'un visage masculin imberbe, les symboles de la modernité qu'il entend imposer. Il fait donc interdire aux femmes le port du voile et arracher en place publique la barbe des dignitaires religieux.

Dans les pays arabes nouvellement indépendants des années 1950 et 1960, bon nombre de modernisateurs laïques, dont le Tunisien Habib Bourguiba, vont, avec plus ou moins d'autoritarisme, emboîter le pas de ces précurseurs. Au nom de cette même modernisation, Bourguiba stigmatisera ainsi la plupart des marqueurs islamiques de la société qu'il veut conduire à marche forcée vers le « progrès » — du jeûne de Ramadan au sacrifice du mouton de l'Aïd, en passant par le pèlerinage à La Mecque ou l'université islamique Al-Zitouna, qu'il marginalise. Par celles et ceux qui vont progressivement entreprendre de s'en démarquer puis de la contester, cette seconde « modernisation/détraditionalisation » va être assimilée, comme la précédente, à une sorte de « désislamisation » religieuse et, plus largement, culturelle.

Un quart de siècle plus tard, les premiers signes d'une nouvelle dynamique politique vont en tout état de cause confirmer cette hypothèse. La question du voile va entrer dans un nouveau cycle

---

34 À la différence du monde arabe des années 1950 et 1960, où l'affirmation nationaliste est le produit d'une rupture avec la présence coloniale européenne, cette affirmation s'est opérée, en Turquie, contre l'Empire « musulman » ottoman.

35 Ironie ou continuité de l'histoire, ce fez avait été lui-même imposé en 1826, au détriment du turban, par le sultan Mahmûd II. Après avoir écarté le chapeau « colonial » à trois faces — ses conseillers lui ayant fait remarquer qu'il y avait là un symbole possible de la Sainte Trinité —, il avait opté pour le fez, qui constituait dans son esprit une franche rupture avec le traditionalisme véhiculé par le turban et une claire volonté... d'ouverture vers l'Europe (voir notamment Jeremy SEAL, *A Fez of the Heart. Travels around Turkey in Search of a Hat*, Harcourt Brace & Co, Londres, 1995).

de turbulences, celui de la « réislamisation » et des réactions multiples auxquelles elle va donner lieu. Dans le petit nombre — il est essentiel de garder ce point en mémoire — de celles qui l'avaient ôté, ou chez leurs filles, il va souvent faire alors l'objet d'une sorte de réappropriation réactive. À partir du début des années 1970 environ, des femmes, généralement membres elles aussi de l'élite urbaine, vont revendiquer le droit de le porter.

C'est le cas, en 1974, de Hind Chelbi, universitaire de la bonne société tunisoise, qui décide de s'en couvrir lors d'une cérémonie présidée par le chef de l'État, dont elle refuse par ailleurs le baiser paternel ainsi que la poignée de main. Bourguiba est pourtant, à l'instar du Shah d'Iran, l'un des symboles du combat pour la « libération de la femme » dans le monde arabe — même si, avant de s'y rallier, il s'était longtemps dissocié des appels à abandonner le foulard, reconnaissant dans celui-ci un des « signes distinctifs et, par conséquent » une des « dernières défenses d'une identité nationale en péril[36] ». Hind Chelbi rompt de fait ainsi avec les standards vestimentaires (tête, bras et genoux découverts) d'une petite élite urbaine immortalisée par la première génération du cinéma égyptien et dans laquelle l'Occident a vu longtemps la meilleure preuve de son influence modernisatrice.

Ce mouvement de « revoilement » va, sans surprise, se heurter à l'hostilité des élites nationalistes qui avaient encouragé le dévoilement modernisateur et, tout autant, à celle de leurs homologues de la rive nord de la Méditerranée qui vont y voir une réfutation de l'universalisme de leur héritage. La distinction entre « continuité » et « réappropriation » de la tradition demeurera

---

36 Cité par Michel CAMAU et Vincent GEISSER, *Habib Bourguiba, la trace et l'héritage*, Karthala/ Centre de science politique comparative, Aix-en-Provence, 2004, « Les limites du féminisme d'État bourguibien », p. 101. Il précisera ensuite sa position : « Le jour où la femme tunisienne, en sortant sans son voile, n'éprouvera plus cette impression étrange qui est comme le cri de révolte de son atavisme inconscient, ce jour-là ce voile disparaîtra de lui-même, sans danger, car ce dont il était le symbole aura disparu. » Ou encore : « Nous sommes en présence d'une coutume entrée depuis des siècles dans nos mœurs. [...] Avons-nous intérêt à hâter, sans ménager les transitions, la disparition de nos mœurs, de nos coutumes ? » (cité par Larbi CHOUIKA, « La question du *hijab* en Tunisie : une amorce de débat contradictoire », *in* Françoise LORCERIE (dir.), *La Politisation du voile en Europe, en France et dans le monde arabe*, L'Harmattan, Paris, 2005, p. 159.)

généralement possible, les différentes manières de porter le voile permettant le plus souvent de faire la différence entre la génération de celles « qui ne l'ont jamais quitté » et celles qui entendent se le réapproprier.

À partir de 1980 et de la révolution khomeyniste, la revendication et l'affirmation de ce voile « réactionnel » prennent une tournure plus franchement politique et sont insensiblement associées à l'émergence, un peu partout dans la région, de l'opposition islamiste. L'un après l'autre, les régimes prennent alors conscience de la portée d'un phénomène qu'ils avaient un temps réduit à des réminiscences d'un traditionalisme en voie de disparition. Dans la Tunisie « laïque », Bourguiba, ses successeurs et certains de ses voisins vont progressivement radicaliser leur attitude vis-à-vis du symbole vestimentaire de l'appartenance « oppositionnelle ». Depuis lors et pour longtemps, des femmes (notamment au Maroc et en Tunisie) vont se voir interdire de porter le voile, sauf à perdre l'accès à une large gamme d'activités professionnelles [37].

Comme son interdiction, le port du voile a également donné lieu à des pratiques autoritaires. Pas plus que la « modernisation désislamisante », la « réislamisation » volontariste n'a échappé en effet aux raccourcis de l'autoritarisme des individus ou des régimes. En Iran ou en Arabie saoudite, en étatisant la tradition religieuse, ou la tradition tout court, des régimes islamiques ont associé l'obligation du port du voile, dans une fraction au moins de ces sociétés, à leur illégitimité croissante. En 1980, les fondateurs de la République islamique d'Iran, après avoir, avec l'appui de millions d'hommes et de femmes, mis à bas l'empereur qui avait interdit le port du voile, n'ont pas eu la sagesse de se contenter de rétablir la liberté de le porter. Ils imposèrent une obligation inverse, dont le respect devint la condition *sine qua non* de l'intégration de la femme à la société

---

37 Dès 1981, au lendemain de la révolution khomeyniste, le gouvernement tunisien a adopté par circulaire une mesure en ce sens : « Nous observons ces derniers temps que des élèves filles se rendent dans leurs établissements avec une tenue totalement étrangère à nos traditions vestimentaires en arborant un vêtement — qui se confondrait aux habits "confessionnels" — qui marque l'appartenance à une tendance qui se distingue par des tenues vestimentaires sectaires, contraire à l'esprit de notre époque et à l'évolution saine de la société. »

légitime. Chez une partie au moins de celles qui entendent se démarquer de l'absolutisme des régimes qui l'imposent, la référence « islamique » a donc perdu une part de sa légitimité. Dans le royaume d'Arabie saoudite, un petit groupe de femmes, au terme d'une manifestation organisée à Riyad en novembre 1999, aurait même piétiné en public le voile imposé par les gardiens autoproclamés de l'orthodoxie religieuse [38].

Alors qu'une large majorité de femmes iraniennes entreprenait avec succès de poursuivre, sous le voile, la lente révolution de leur statut [39], une minorité d'entre elles a adopté des conduites de résistance, rejoignant, à plusieurs décennies d'intervalle, la pratique des premières féministes. Après plus d'une vingtaine d'années de « révolution islamique », l'avocate iranienne Cherîn Ebadi a ainsi choisi de se présenter tête nue pour recevoir son prix Nobel de la paix à Oslo, en décembre 2003. Une fois affirmé son droit à ne pas porter le voile, elle a toutefois tenu à dénoncer la géométrie trop variable à ses yeux des valeurs de cet Occident dont elle acceptait la reconnaissance, sans vouloir pour autant y être identifiée. Elle a pris ainsi le temps de condamner très clairement la loi française qui allait être adoptée en février 2004, laquelle, en interdisant le port du voile dans les écoles publiques, empruntait ces mêmes raccourcis de la contrainte qu'elle entendait pour sa part dénoncer.

En novembre 2003, en pleine guerre d'Irak, un mois avant que l'intellectuelle iranienne défie l'ordre « islamique » de se voiler, Khadija Ben Ganna, une journaliste algérienne vedette de la chaîne qatarie Al-Jazira, décidait volontairement de s'y « soumettre » et d'arborer ce voile rejeté en son temps par Hoda Chaarawi et, plus tard et dans un autre contexte, par Cherîn Ebadi.

Les échos de ces dynamiques de dévoilement/revoilement imposé ou réclamé résonnent depuis lors très régulièrement. Derrière l'apparente complexité de ces flux et reflux, une lecture transversale

---

38   Voir Mamoun FANDY, *Saudi Arabia and the Politics of Dissent*, Palgrave/McMillan, Londres, 1999, p. 49. Ces groupes ne représentent toutefois qu'une petite partie du spectre de l'opposition politique, dont une autre composante, islamique, s'exprime depuis l'intérieur du champ religieux (voir Pascal MÉNORET, *L'Énigme saoudienne, op. cit.*).

39   Fariba ADELKHAH, *La Révolution sous le voile. Femmes islamiques d'Iran*, Karthala, Paris, 1991.

demeure tout de même possible. Les Algéroises qui refusaient, lorsque la France s'étendait « de Dunkerque à Tamanrasset », de suivre les injonctions de l'épouse du général Massu de « se libérer de leur voile », évoluaient à l'évidence dans un contexte différent de celui dans lequel, en 1974, la Tunisienne Hind Chelbi s'est (re)voilée. Tout comme l'universitaire tunisienne, elles voulaient toutefois marquer leur opposition à ce qu'Habib Bourguiba ou les autorités coloniales percevaient comme une « modernisation » et que, pour leur part, elles ressentaient comme une « déculturation » ou une « occidentalisation ».

Leur motivation était elle-même différente mais néanmoins comparable à celle qui a conduit, en 2003, la journaliste d'Al-Jazira à les « rejoindre ». À l'heure de la mondialisation, Khadija Ben Ganna avait non seulement suivi de près le débat français sur l'interdiction du port du voile mais, quelques mois plus tôt, l'expulsion de l'école française de Doha (où étudient ses enfants) d'une élève qui avait refusé de s'y soumettre.

Trente ans après Hind Chelbi, la décolonisation est certes achevée. Mais l'heure est désormais à une *global war on terror* où les marqueurs identitaires de l'islam, identifiés un temps par les élites modernisatrices musulmanes à ceux du sous-développement, sont, comme au temps des luttes indépendantistes, corrélés à nouveau à la violence terroriste. La pression ne s'exerce plus toutefois par les mêmes vecteurs. Ce n'est plus l'épouse du général Massu qui se préoccupe de la modernisation de la « Française musulmane ». D'autres « modernisateurs » ou d'autres « modernisatrices », armés ici de leur crainte de la contestation politique et là de leur interprétation très restrictive de la laïcité, ont pris le relais [40]. Tous et toutes partagent néanmoins une très identique ambition : celle de lui faire abandonner son couvre-chef... « islamique ».

---

[40] Sur ce point, voir notamment les points de vue critiques de : Jean BAUBÉROT, *Laïcité 1905-2005, entre passion et raison*, Seuil, Paris, 2005 ; Alain GRESH, *L'Islam, la République et le monde*, Fayard, Paris, 2004.

3

Le champ islamiste entre spécificités nationales et transnationalisation

A près avoir situé la mobilisation d'Al-Qaida dans la chronologie des temporalités islamistes, il faut, pour cerner sa
spécificité, la situer également « horizontalement » ou « synchro-
niquement », au regard des autres expressions contemporaines du
champ islamiste et au regard des dynamiques qui tendent à
renforcer les spécificités des configurations nationales ou, au
contraire, à les relativiser. Cela permet de redire — ce qui relève
d'une évidence pourtant de moins en moins reconnue — que le
réseau des sympathisants d'Oussama Ben Laden est loin de représenter aujourd'hui l'unique, ou même la principale, expression
doctrinale ou politique de la dynamique de réislamisation (y
compris sur le terrain de l'activisme armé où évoluent les mouvements de résistance à l'occupation israélienne). La prise en compte
de la diversité des postures islamistes et des dynamiques qui les
affectent peut se faire en plusieurs étapes.

Dans ce chapitre, on rappellera d'abord la nature des variables
nationales, qui tracent, selon les trajectoires historiques des
sociétés concernées, des réalités islamistes spécifiques d'un pays à
l'autre. Dans *L'Islamisme au Maghreb* [1], j'ai proposé une première

---

1 François BURGAT, « Ghannouchi, Yassine et les autres : la logique de la différenciation », *in*
L'Islamisme au Maghreb, op. cit.

typologie de ces variables nationales de différenciation et, à l'opposé, des facteurs d'intégration et d'homogénéisation. Il s'agit donc ici de les croiser avec la chronologie des temporalités que je viens d'évoquer — problématique qui sera approfondie dans les deux chapitres suivants.

Des modalités du choc colonial à la gestion culturelle et politique des indépendances

Le découpage du monde musulman en nations à bel et bien un impact sur les formes de la dynamique de réislamisation et, notamment, sur le rôle respectif des différentes variables qui affectent son rythme, son ampleur et les modalités de son expression.

Les acteurs de la mouvance islamiste s'efforcent, il est vrai, de relativiser la portée de ces divisions, dont une partie au moins résultent de la colonisation[2]. Des processus d'internationalisation, voire de « mondialisation », de l'islam sont de surcroît manifestement en cours, qui estompent les différences nationales. Mais, même pour ceux qui affectent de placer l'unicité et l'intemporalité de la référence religieuse au-dessus de leur appartenance nationale, il est clair que les itinéraires qui conduisent à s'engager dans la mobilisation islamiste peuvent varier d'un pays à l'autre. En 2005, être islamiste n'a ni le même sens ni les mêmes conséquences selon que l'on est un citoyen de l'Irak ou du Koweït, de l'Algérie, de la Libye ou des Émirats arabes unis — et, *a fortiori*, si l'on vit dans une société occidentale de tradition culturelle majoritairement chrétienne.

La portée de la variable identitaire (« Qui sommes-nous par rapport à l'Occident ? »), dont on peut considérer qu'elle détermine le « potentiel » de la mobilisation islamiste, a manifestement

---

2   Sur la formation des frontières nationales, voir notamment : Albert HOURANI, Philip S. KHOURY et Mary C. WILSON (dir.), *The Modern Middle East*, I. B. Tauris, Londres-New York, 2000 ; Jean-Paul CHAGNOLLAUD et Sid-Ahmed SOUIAH, *Comprendre le Moyen-Orient*, L'Harmattan, Paris, 2004.

varié, d'abord en fonction des circonstances, plus ou moins brutales, plus ou moins traumatisantes, dans lesquelles s'est opérée la rencontre initiale avec l'Occident. Elle a dépendu ensuite de l'attitude des élites indépendantistes, notamment dans le champ culturel et religieux. Sur ce terrain, les caractéristiques propres aux sociétés lors de l'arrivée du colonisateur doivent être prises en compte, selon notamment qu'un processus de modernisation « importé » ou endogène était ou non en cours, définissant ce que Malek Bennabi [3] — et Habib Bourguiba après lui [4] — a appelé leur degré de « colonisabilité ».

Les différences résultent ensuite de la durée relative et de la forme institutionnelle de la présence coloniale, ainsi que des méthodes et des ambitions différenciées des pouvoirs coloniaux français, italien ou britannique et de leurs traditions culturelles respectives [5]. Les différences nationales sont sur ce terrain multiformes et complexes, la violence de la déculturation coloniale laissant place à une acculturation très différenciée, selon que le colonisateur est français ou britannique : un intellectuel islamiste « fabriqué » au repoussoir de la colonisation française, comme Malek Bennabi, qui a puisé largement dans les ressources de la pensée cartésienne, est différent de son homologue libyen ou égyptien, dont le « repoussoir » intellectuel n'a pas été le même.

Les cadres historiques locaux jouent ainsi un rôle essentiel, et ils ont été souvent très différents d'un pays à l'autre. La présence coloniale française a commencé en Algérie par une guerre de conquête à la fois longue (1830-1849) et particulièrement dévastatrice (comme celle que conduisit l'Italie fasciste en Libye). En Syrie et au Liban, elle a débuté en revanche sous couvert d'un mandat international et en usant de méthodes moins systématiquement

---

3 Malek BENNABI, *Vocation de l'islam, op. cit.* Voir également l'article de l'un des meilleurs connaisseurs de Bennabi : Sadek SELLAM, « Le FLN vu par l'écrivain Malek Bennabi. Les relations malaisées d'un penseur non conformiste avec le pouvoir algérien naissant », *Guerres mondiales et conflits contemporains*, avril 2002 (article disponible sur le site <Oumma.com>).

4 Michel CAMAU et Vincent GEISSER (dir.), *Habib Bourguiba, la trace et l'héritage*, Karthala, Paris, 2004.

5 Voir Charles-André JULIEN, *Histoire de l'Afrique du Nord*, Payot, Paris, 1994.

destructrices, à défaut d'être pacifiques et respectueuses des droits de l'homme [6]. La durée de cette présence coloniale a aussi considérablement varié : de cent trente-deux années pour celle de la France en Algérie ou de cent vingt-huit années pour les Britanniques à Aden et dans tout ou partie du Yémen du Sud, à vingt-six années des mandats sur la Syrie et le Liban ou aux soixante-quinze et quarante-quatre ans de protectorat français sur la Tunisie et le Maroc.

À l'autre bout du spectre arabo-musulman, le Yémen du Nord est demeuré, après le départ des Ottomans en 1918, protégé de toute incursion occidentale. L'Arabie a, elle-même, connu toutes sortes de pressions externes, mais pas de colonisation directe ; à l'instar du Yémen du Nord, les vecteurs de la modernisation n'ont pas pu, en apparence, y être identifiés aussi naturellement à ceux d'une domination étatique étrangère.

L'assise institutionnelle et les méthodes des pouvoirs coloniaux ont joué ensuite un rôle déterminant. Les formules ont, sur ce terrain également, varié considérablement : en Algérie, une colonisation de peuplement a donné lieu à une dépossession foncière massive des populations autochtones, dont le territoire a été politiquement et administrativement annexé purement et simplement à celui de la République [7] ; dans les protectorats du Sud-Yémen [8], l'influence britannique a été en revanche infiniment moindre, se limitant souvent au contrôle des circulations commerciales et stratégiques, sans affecter directement les hiérarchies sociales et les pratiques culturelles. À la différence de la colonisation, la formule du protectorat préservait une possibilité d'identification à une autorité (bey, sultan) qui, pour être affaiblie,

---

6 Élizabeth PICARD, *Liban, État de discorde. Des fondations aux guerres fratricides*, Flammarion, Paris, 1988. Voir également Jean CHARAF, *Documents diplomatiques français relatifs à l'histoire du Liban et de la Syrie à l'époque du mandat français*, tome 1. *Le Démantèlement de l'Empire ottoman et les préludes du Mandat, 1914-1919*, Éditions universitaires du Liban/L'Harmattan, Beyrouth/Paris, 2004 ; Georges CORM, *Le Liban contemporain. Histoire et société*, La Découverte, Paris, 2003 (rééd. en poche : La Découverte, 2005).

7 Charles-Robert AGERON, *Les Algériens musulmans et la France (1871-1919)*, PUF, Paris, 1968, 2 tomes. Voir également Benjamin STORA, *Histoire de l'Algérie coloniale (1830-1954)*, La Découverte, coll. « Repères », Paris, 1993.

8 Paul DRESCH, *A History of Modern Yemen*, Cambridge University Press, Cambridge, 2000.

n'en était pas moins symboliquement autochtone. Tel colonisateur (Lyautey au Maroc) a choisi de s'appuyer sur les élites existantes, notamment religieuses, alors que d'autres (Bugeaud en Algérie) les avaient systématiquement détruites pour, de toutes pièces, créer de simples supplétifs entièrement dévoués à leur cause.

Après les modalités de la colonisation, ce sont les politiques des élites indépendantistes qui ont donné au champ islamiste ses spécificités nationales[9]. Dès le début des luttes nationalistes et, plus nettement encore, au lendemain des indépendances, l'assise institutionnelle et la posture des régimes dans les champs culturel et religieux ont contribué à produire des configurations complexes, le long desquelles se sont creusées des différences dans le potentiel de mobilisation islamiste. On peut identifier ces différences en montrant comment les élites nationalistes ont comblé ou au contraire laissé en partie insatisfaites les attentes identitaires des bénéficiaires des « indépendances ».

Les politiques linguistiques, d'abord, ont varié d'un pays à l'autre selon que, dans la foulée des indépendances, se maintenait ou s'affirmait l'arabophonie (Libye, Égypte, etc.) ou, au contraire, se développait la francophonie (Tunisie, Maroc). La référence à l'appartenance ethnique arabe, ensuite, a été diversement sollicitée par les régimes devenus indépendants. À l'opposé de l'Algérien Houari Boumediene, le Tunisien Habib Bourguiba est sans doute celui qui est demeuré le plus réservé à son égard, l'arabisme portant ombrage, à ses yeux, à l'indépendance et à la centralité du chantre de la « tunisianité », et risquant de donner des prétextes interventionnistes à un jeune rival égyptien qu'il redoutait tout particulièrement[10] ; Bourguiba, plus clairement encore, s'en prit avec force à ceux de ses opposants réputés vouloir affirmer plus fortement que lui l'identité arabe et musulmane du

---

9   Voir Ernest GELLNER et Jean-Claude VATIN (dir.), *Islam et politique au Maghreb*, Éditions du CNRS, Paris, 1981.

10   Cela ne l'empêchera pas, en janvier 1974, à un moment où sa santé mentale était sans doute déjà dégradée, de signer une fugitive fusion avec la Libye de Kadhafi, dans le cadre d'une Union dont il lui revenait, il est vrai, de prendre la présidence.

pays [11]. En Syrie, en Irak, en Libye ou en Égypte [12], la place plus importante prise par la référence ethnique arabe a contribué à limiter celle qui était laissée à la référence « religieuse » islamique, l'autre référence endogène [13]. En Libye, le laïcisme affirmé, notamment pour combattre les réminiscences des allégeances religieuses à la monarchie confrérique senoussi, a été en partie contrebalancé par une double surenchère arabiste, aussi bien linguistique et culturelle (interdiction de tout caractère latin et de toute traduction en langue occidentale dans l'espace public) que politique, au service de l'unification arabe [14].

L'ancrage institutionnel des régimes dans le champ religieux a déterminé des différences plus essentielles encore. Le « fondamentalisme d'État » (c'est-à-dire la capacité pour les titulaires du pouvoir à capter, au détriment de leurs opposants, l'essentiel des ressources de la dynamique de réislamisation) d'un « Commandeur des croyants » marocain ou d'un monarque saoudien héritier et allié du réformisme wahhabite, a contribué, un temps au moins, à limiter l'expression contestataire de la réislamisation. Toutes les monarchies (dans le Golfe et en Jordanie) ont eu tendance à se protéger du baathisme et du nassérisme en prenant appui sur les adversaires de ces idéologies (dont les Frères musulmans). À l'inverse, les Républiques plus ou moins ouvertement laïcistes (Yémen du Sud, Tunisie, Libye) ont plus systématiquement restreint l'espace politique de la référence religieuse. Alors que les monarques conservateurs pouvaient prétendre,

---

11 Voir notamment Souhayr BELHASSEN, « Les legs bourguibiens de la répression », *in* Michel CAMAU et Vincent GEISSER (dir.), *Habib Bourguiba, la trace et l'héritage, op. cit.*, p. 391 *et sq* : « Bourguiba s'oppose à Salah Ben Youssef qui prêche l'avènement d'une Tunisie totalement indépendante, partie intégrante de la "nation arabe" et profondément ancrée dans l'islam. [...] La pratique de la répression prend une dimension exceptionnelle à l'occasion de la dissidence youssefiste » (quatre cents « rebelles » seront tués).

12 Voir Olivier CARRÉ, *Le Nationalisme arabe*, Fayard, Paris, 1993.

13 Au Maghreb en général, et en Algérie en particulier, c'est dans ce contexte que doit être évalué le rôle complexe de la référence berbériste. Dans un environnement propice à de nombreuses manipulations gouvernementales, elle a pu jouer elle aussi, parfois, mais certainement pas toujours (de nombreux leaders islamistes sont venus des zones berbérophones), un rôle de « concurrente » à la référence religieuse et donc à la mobilisation islamiste.

14 François BURGAT et André LARONDE, *La Libye*, PUF, coll. « Que sais-je ? », Paris, 2003.

jusqu'à un certain point, « exploiter » la demande de réislamisation et en détourner une partie des ressources au profit de leur trône, Bourguiba, avec un discours ouvertement laïque, voire irréligieux, acceptait le risque de s'en couper. Le *mujâhid* « *al-akbar* » (le combattant « suprême », qualificatif que la terminologie religieuse réserve normalement au créateur) est sans doute celui qui a poussé le plus loin la démarcation du discours politique vis-à-vis des catégories symboliques de l'héritage islamique, donnant de ce fait d'autant plus de prise à la génération islamiste de ses contestataires.

Dans des limites déjà évoquées, l'effet adjuvant de la variable économique dans les mobilisations protestataires a également creusé des différences nationales. Les capacités redistributives des régimes, considérablement plus élevées pour ceux qui bénéficiaient de la rente pétrolière, ont évidemment affecté leur capacité à « acheter », en partie au moins (et pour certains, comme les émirats pétroliers du Golfe, en totalité et jusqu'à ce jour), le consensus politique et à se protéger ainsi des expressions contestataires de la réislamisation.

Les formules politiques entre intransigeance intérieure et concessions étrangères

Les autres paramètres « nationaux » sont le produit des différences entre les formules politiques spécifiques de chacun des États, d'une part, et entre leurs postures respectives sur la scène régionale ou internationale, face au défi israélien et à la montée de l'unilatéralisme américain, d'autre part. Les régimes arabes ont, à bien des égards, les opposants (islamistes) « qu'ils se donnent » : leurs propres performances dans le domaine démocratique contribuent en effet très largement à influencer les modes d'action de leurs opposants. Du Golfe à l'Océan, les formules politiques postérieures aux indépendances, le degré et les formes de la manifestation de l'autoritarisme des régimes ne sont pas tous identiques. Hormis quelques exceptions à la quasi-« norme institutionnelle arabe », la plupart de ceux-ci refusent toutefois aux oppositions islamistes, et notamment aux Frères musulmans, de participer à la compétition électorale, quand bien même celle-ci est-elle généralement largement déconnectée de tout enjeu politique réel [15].

Si tous les itinéraires ont conduit à un autoritarisme aujourd'hui largement partagé, les différences n'en sont pas moins importantes, autant dans le rythme de la radicalisation répressive des régimes que dans leur posture finale. Les imaginaires et les comportements des acteurs islamistes s'en ressentent. Très tôt, ceux des régimes (notamment tunisien et marocain) qui n'avaient pas, à l'instar du FLN algérien, acquis le monopole des ressources de la lutte nationale, ont dû trouver des formes politiques de transaction avec leurs opposants. Elles prirent des formes diverses : mouvement syndical ou associations professionnelles (Tunisie), pluralisme formel (Maroc, Tunisie, Égypte) puis mouvements associatifs en tous genres. Quelles que soient les limites du fonctionnement électoral (souvent marqué par la fraude) et de la réalité des pouvoirs attribués aux oppositions parlementaires, un petit nombre de pays arabes autorisent toutefois aujourd'hui la participation des forces politiques réelles : c'est le cas du Yémen, où le président du Parlement provient du parti islamiste proche des Frères musulmans [16], mais aussi du Liban, où le Hezbollah est représenté au Parlement, ou encore de la Jordanie, du Koweït et de Bahreïn. Cela le sera sans doute un jour de l'Irak [17]. Les régimes conservateurs, on l'a dit, ont eu tendance à tolérer et en partie intégrer les opposants « religieux » que les républiques nassériennes ont commencé très tôt à criminaliser, à torturer et donc à radicaliser. D'une manière générale, les régimes qui, comme en Algérie ou en Égypte, avaient acquis un quasi-monopole des ressources

---

15   Les « premières élections présidentielles pluralistes » organisée par Le Caire en septembre 2005 pour légitimer le cinquième mandat d'Hosni Moubarak en sont une parfaite illustration.

16   Mais où les « premières élections présidentielles au suffrage universel » de la seule République de la Péninsule arabique, en septembre 1999, n'ont toutefois vu se présenter contre le président Ali Abdallah Salêh qu'un seul candidat... de son propre parti.

17   Voir Pierre-Jean LUIZARD *La Question irakienne*, Fayard, Paris, 2002.

« révolutionnaires » ou nationalistes, ont eu tendance à maintenir plus longtemps des formules politiques verrouillées.

Au début des années 1980, en tout état de cause, rien n'était plus différent que l'imaginaire politique d'un Frère musulman jordanien ayant vécu depuis le début des années 1950 en coexistence pacifique avec le trône hachémite et celui de l'un de ses « confrères » égyptiens ayant passé la même période sous la torture, dans les geôles nassériennes. L'état d'esprit d'un Frère musulman syrien, après la terrifiante répression de la ville de Hama en 1982 [18] par les armes lourdes du régime syrien alaouite, différait tout autant de celui d'un Frère yéménite inaugurant la même année, au sortir d'une longue coopération, une période d'opposition fort tempérée avec un régime où ses idées étaient largement représentées — nous y reviendrons.

L'implication des États, ou celle des individus, avec ou sans le consentement de ces États, dans des conflits régionaux a creusé ensuite des différences importantes en initiant ou en accélérant diverses dynamiques, dont la militarisation des oppositions n'est pas la plus importante — les énergies déployées sur les champs de bataille internationaux (Palestine, Irak, Liban, Yémen et bien sûr Afghanistan, Bosnie, Tchétchénie) n'ayant pas été systématiquement mobilisées contre les élites gouvernantes des pays de provenance des « jihadistes ». D'une façon générale, on peut considérer que chaque fois qu'un régime arabe a cédé aux pressions de l'environnement occidental — européen, israélien ou américain —, il a suscité une protestation populaire « infra-étatique » qui a été le plus souvent récupérée par la génération islamiste. Des différences sont donc apparues dans le champ islamiste en fonction de la posture des régimes sur la scène internationale et de leur capacité, plus ou moins affirmée, à résister plus ou moins longtemps aux pressions de l'environnement international. Au lendemain des indépendances, les régimes des pays du « front du refus », qui

---

18 Dont un récit peu connu de l'intérieur est donné par l'un des acteurs de la révolte, Mahmûd 'ABDELHAKIM, *Al-Thawra al-Islamiyya al-Jihadiya fî Surya* [La révolution islamique jihadienne en Syrie], s.é., s.d. (2 tomes).

acceptaient d'assumer un certain coefficient de tension avec l'environnement occidental, ou les pays du « champ de bataille », en confrontation armée avec Israël, en payèrent le prix international en termes de pressions américaines et européennes, mais y gagnèrent des ressources intérieures en termes de légitimité.

Le conflit israélo-palestinien a donc massivement et systématiquement influé sur le destin des courants islamistes installés dans des « pays du champ de bataille », contribuant à faire varier de façon décisive leur relation avec les élites au pouvoir et leur propre capacité de mobilisation. En Égypte bien sûr et avant tout, mais également au Liban et en Jordanie. La défaite nassérienne de 1967 a donné un peu partout le signal de la relance de la mobilisation islamiste. De la création de l'État hébreu en 1948 jusqu'aux accords d'Oslo de 1993 ou au premier des sommets de Charm el-Cheikh en 1996, tous les tournants, c'est-à-dire surtout, sur cette période, tous les revers de la diplomatie — et donc des régimes — arabe(s) dans le conflit palestinien ont rythmé le pouls des mobilisations islamistes nationales.

L'identité politique des Frères musulmans égyptiens ne s'est pas façonnée en effet au seul repoussoir de la présence coloniale britannique, mais bien autant à celui de la création d'Israël et au premier conflit israélo-arabe qui en a résulté. Ils jouent alors, notamment avec les scouts musulmans, un rôle de tout premier plan. La virulence toute particulière manifestée à leur égard, jusqu'à ce jour, par certains médias occidentaux influencés par l'État hébreu n'est sans doute pas étrangère à cet épisode fondateur. La naissance puis la radicalisation des autres courants égyptiens (notamment les *Jamâ'ât islâmiyya*, qui avaient, un temps au moins, soutenu Sadate, le vainqueur de la guerre du Kippour) sont très directement liées aux concessions que, à leurs yeux, il a faites ensuite en signant les accords de Camp David en 1978. De même, le Hezbollah libanais a été créé en 1982 en réponse à l'invasion israélienne du Liban [19]. L'émergence du Jihâd et du Hamas

---

19   Voir Walid CHARARA et Frédéric DOMONT, *Le Hezbollah : un mouvement islamo-nationaliste*, Fayard, Paris, 2004 ; et Judith PALMER HARIK, *Hezbollah. The Changing Face of Terrorism*,

palestiniens est également l'expression directe de la résistance à cette occupation [20].

Les facteurs d'intégration transnationale

Des dynamiques multiples tendent toutefois, à l'évidence, à limiter la portée de ces paramètres nationaux. Les « frontières isla- mistes » des États se relativisent à mesure que se développe et s'accélère la circulation des individus, ou seulement celle des informations et des idées. Et que se renforcent ainsi des dyna- miques de transnationalisation, voire de mondialisation, aussi bien intellectuelles et idéologiques que tactiques et stratégiques.

Dans le monde musulman comme dans le reste du monde, les principaux vecteurs d'harmonisation de la référence islamiste sont bien connus. Les pèlerinages — pas seulement celui de La Mecque — ont été historiquement, avec les routes marchandes, les tout premiers ; plus récemment, se sont développés les migra- tions — économiques, politiques et estudiantines — et les déplace- ments touristiques. L'islamisme égyptien ayant d'une manière générale été précurseur, il a largement exporté le modèle « frériste » d'abord, qutbiste ensuite. À l'inverse, l'Arabie saoudite, un temps influencée par les Frères, a sans doute influencé elle- même les courants islamistes en exportant, avec ou sans le label du wahhabisme, notamment en Égypte, une certaine « réaction » salafie à l'hégémonie relative du modèle « frériste [21] ».

I. B. Tauris, Londres, 2005. Cette auteure étudie la « transformation » d'une « milice radi- cale » en un parti *mainstream* ; elle souligne par ailleurs la capacité du Hezbollah à recueillir des soutiens en dehors de la communauté chiite ou même musulmane.

20 Voir Jean-François LEGRAIN et Pierre CHENARD, *Les Voix du soulèvement palestinien. Édition critique des communiqués du Commandement national unifié et du Mouvement de la résistance islamique*, Centre d'études et de documentation économique, juridique et sociale (CEDEJ), Le Caire, 1991 ; Graham USHER, « The new Hamas : between resistance and participation », <Merip Online>, 21 août 2005.

21 Mais certainement pas, comme le souligne Pascal Ménoret, en « exportant » le wahhabisme dans le monde : « D'une certaine manière, il est plus pertinent de parler de "mondialisation de l'islam saoudien" pour dire que le monde s'est propagé dans l'islam saoudien (et non pas que l'islam saoudien s'est propagé dans le monde) » (Pascal MÉNORET, *L'Énigme saoudienne*, *op. cit.*, p. 82).

Historiquement, les Frères égyptiens, qui ont très vite formé une branche internationale, ont franchi les frontières de l'Égypte dès 1948, pour participer comme on l'a vu à la première guerre arabe contre Israël. Mais leur premier exil massif est consécutif à la répression nassérienne de l'année 1954. Cet épisode constitue l'archétype fondateur de ce type de « migration » islamiste [22]. Les Frères sont alors partis en grand nombre en Arabie saoudite et dans le Golfe d'abord, au Maghreb ensuite (notamment en Algérie, où ils ont été employés à arabiser l'enseignement supérieur à partir de 1973), mais aussi au Yémen, où, en dehors de leur rôle politique direct, leur influence sera due à leur présence massive, aux côtés d'instituteurs soudanais, dans l'appareil d'enseignement. Partout, notamment par le biais de l'enseignement, les Frères vont ainsi influencer considérablement et durablement l'alchimie des courants islamistes naissants et, on va le voir, la modernisation « endogène » de la référence politique. Mais l'Égypte n'a pas seulement exporté oulémas et enseignants : elle a également « importé », dans les universités religieuses d'al-Azhar et, surtout, de Dar al-'Ulûm, des milliers d'étudiants arabes et musulmans.

À partir des années 1980, les guérillas islamistes vont également alimenter les mobilisations armées transnationales, dont l'épisode afghan a été le jalon fondateur. Viendront ensuite, sur ce registre, la Bosnie [23], le Kosovo et la Tchétchénie. Puis les nouvelles vagues de répression des années 1990 (notamment en Algérie et en Tunisie) feront grossir le flux des exilés politiques. Il faut souligner l'importance majeure de ce phénomène : à mesure que les régimes autoritaires arabes vont se rapprocher du « camp occidental » pour assurer leur survie, ils vont durcir la répression de « leurs » mouvements islamistes nationaux — les généraux « éradicateurs » algériens décrochant sans doute en la matière la palme de la férocité et

---

22 L'un des précédents est sans doute l'exil vers le Pakistan naissant, de 1948 à 1952, au lendemain de l'échec de la Révolution constitutionnelle, de Mahmûd Zubayri, cofondateur du Mouvement des Yéménites libres, lui-même proche des Frères musulmans. Il y assistera, en 1951, à la conférence inaugurale du Congrès islamique mondial, autre intrument de la confrontation internationale des sensibilités et des expériences « islamistes ».

23 Voir Xavier BOUGAREL et Nathalie CLAYER (dir.), *Le Nouvel Islam balkanique. Les musulmans, acteurs du postcommunisme, 1990-2000*, Maisonneuve et Larose, Paris, 2001.

de la perversité manipulatrice. Et ils vont ainsi contribuer à nourrir, à l'échelle mondiale, une diaspora qui sera l'un des viviers de la dérive radicale de la « génération Al-Qaida » — même si nombre d'exilés sont loin de s'y reconnaître.

Enfin, depuis le milieu des années 1990, l'impact de ces circulations humaines, économiques, politiques, ou révolutionnaires a été puissamment relayé par la percée des nouvelles technologies de la communication : des chaînes satellitaires à Internet, en passant par les téléconférences [24], elles ont accéléré le rythme et amplifié ce processus d'interrelation, qui a contribué à limiter la portée des particularismes nationaux et à donner à l'islamisme son caractère « mondialisé [25] ».

---

24 Dont certains salafis sont particulièrement friands : refusant de se laisser photographier, ils préfèrent se passer de passeport et compensent leur impossibilité de sortir de leurs territoires nationaux en écoutant collectivement la voix de prédicateurs résidant dans d'autres pays que le leur.

25 Selon l'heureuse formule documentée par Olivier Roy, *L'Islam mondialisé*, Seuil, Paris, 2002.

4

Les secrets de la mer Rouge, ou l'islamisme sans la colonisation

> « Partout dans le monde arabe, les disciples de Hassan al-Banna ont cherché à réaffirmer la présence de l'islam dans les Constitutions ; au Yémen, à l'opposé, ils ont contribué à introduire la Constitution dans l'islam. »
>
> Mohamed QAHTÂN, un des dirigeants du Rassemblement yéménite pour la réforme, 2003 [1].

De cet effacement progressif des spécificités nationales au profit d'une transnationalisation des imaginaires politiques, le cas de la Péninsule arabique, berceau d'Al-Qaida, témoigne amplement. Dans la majeure partie du Yémen et en Arabie saoudite, les courants islamistes sont en effet nés sur un espace globalement préservé de présence coloniale directe, une particularité majeure au regard des modalités de la première temporalité de l'islamisme [2].

La République arabe du Yémen, née en 1962 à Sanaa, sur un territoire souvent comparé à l'« Afghanistan tribal » ou qualifié de « Tibet de la mer Rouge », a pris la suite d'une monarchie religieuse (chiite zaydite) qui, au lendemain de sa victoire sur l'Empire

---

1   Mohamed Qahtân est l'un des dirigeants du Al-Tajamu' al-yamani lil-islah (Rassemblement yéménite pour la réforme), créé en 1990 au Yémen par les Frères musulmans ; entretien avec l'auteur, Sanaa, mars 2003.
2   Voir Joseph CHELHOD (dir.), *L'Arabie du Sud, histoire et civilisation*, Maisonneuve et Larose, Paris, 1985 (tome 1 ; Le peuple yéménite et ses racines ; tome 2 : La société yéménite de l'Hégire aux idéologies modernes ; tome 3 : Culture et institutions du Yémen) ; Paul BONNENFANT (dir.), *La Péninsule arabique aujourd'hui*, Éditions du CNRS/CEROAC, Paris, 1982 (2 tomes) ; Fred HALLIDAY, *Arabia without Sultans*, Al-Saqui Books, Londres, 2002.

ottoman moribond, en 1918, s'est employée avec succès à se protéger de toute incursion étrangère. Dans tout le nord du Yémen [3], la modernisation ne pouvant être corrélée à une présence étrangère, les islamistes ne devraient donc pas pouvoir, en théorie, y revendiquer la « restauration d'un univers symbolique » dont ils auraient été dépossédés et prendre appui, aussi naturellement que leurs homologues tunisiens ou algériens, sur la critique d'une modernisation vécue comme une « désislamisation ».

L'hypothèse générale que nous avons toujours avancée est que plus la « désislamisation » culturelle a été brutale, plus forte a été la propension ultérieure au rejet de la greffe et partant, plus important le potentiel de la mobilisation islamiste. Pourtant, au fil d'une histoire très atypique, les courants islamistes yéménites et saoudiens représentent bien, comme partout ailleurs dans la région, la toute première force oppositionnelle. Quels éclaircissements sur l'« universalité » d'une telle mobilisation le Yémen et, dans une certaine mesure, l'Arabie saoudite peuvent-ils donc nous offrir ? Pourquoi ces deux pays, qui n'ont pas été soumis à une colonisation occidentale directe, sont-ils néanmoins devenus d'importants « producteurs » d'islamistes radicaux, fournissant le plus grand nombre de membres aux commandos du 11 septembre ? Comment l'islamisme s'est-il développé hors du repoussoir colonial ? Les islamismes de la Péninsule en ont-ils hérité une quelconque spécificité ? Quels enseignements peut-on tirer de cette singularité péninsulaire ?

Une Péninsule pas si insulaire que cela

La réponse principale apparaît assez clairement si l'on décompose la temporalité de la mobilisation islamiste selon les trois séquences historiques proposées.

Tout d'abord, si l'histoire de la Péninsule s'est écrite en l'absence formelle des ingrédients propres à la première temporalité du

---

3   Qui était, lors de la réunification de 1990, trois fois plus peuplé que le sud.

tête-à-tête colonial, des influences importantes n'ont pas moins touché ces deux pays au cours de cette période. Il convient donc de nuancer la représentation de sociétés qui n'auraient, en l'absence de fait colonial, vécu de modernisation que purement endogène, échappant de ce fait au syndrome de la « décultura-tion ». L'absence de colonisation au nord est tout d'abord forte-ment nuancée par le fait que la société yéménite, depuis la réunification de 1990, est le produit de la confluence avec la partie sud du pays qui, elle, a été colonisée pendant près de cent trente ans. Au sud, la République démocratique et populaire est née, en 1967, d'une lutte nationaliste contre l'Empire britannique, qui avait occupé Aden puis son arrière-pays de 1839 à 1967. Ce Sud ne déroge donc pas de façon significative au paradigme colonial. Ouverte sur les courants du monde comme pouvait l'être un grand port de la route des Indes au lendemain de la mise en service du canal de Suez, la République démocratique et populaire du Yémen a été de surcroît, après l'indépendance de 1967, l'un des rares régimes du monde musulman à avoir explicitement manié la réfé-rence marxiste.

Bien avant la réunification de 1990, la société du Nord, si cloi-sonnée et isolée fût-elle, était entrée en contact, du fait notam-ment de l'importance des flux migratoires, avec ce Sud « britannique », peuplé par un apport massif de ses propres migrants avec lesquels les liens familiaux ont toujours subsisté. La société du Nord a été ensuite, par d'autres vecteurs que la présence britannique, soumise à l'influence occidentale. Les Jeunes Turcs, représentants d'un Empire ottoman qui — pour être sur le déclin n'en était pas moins porteur de réformes profondes — furent sans doute les premiers médiateurs de ces *tanzimat* influencées par l'Europe. Ces acteurs d'une modernisation « importée » furent significativement dénoncés par la résistance « nationaliste » et religieuse de l'imam Yahyâ (1904-1948) comme de vulgaires mécréants, accusés de « porter le pantalon » et de consommer des boissons fermentées.

La plupart des modernisations, non seulement technologiques, mais intellectuelles et politiques, qui ne furent pas introduites par les Ottomans, transitèrent par Aden. L'une des plus importantes a sans doute été la création — expérimentale — par Ahmed Mohamed Nu'man, en 1936, au sud de Taez, d'une école moderne directement inspirée de la pratique adénie [4]. Les échanges d'étudiants et de « coopérants techniques » que l'imam Yahyâ organise progressivement avec le Liban et l'Irak, puis avec l'Égypte, après avoir réalisé en 1934 le retard technologique de ses troupes vaincues par son rival Abdelaziz b. Abderrahmane al-Saoud, vont être des premiers supports de l'influence intellectuelle arabe et étrangère. Cette modernisation des esprits allait paver la voie à la révolution constitutionnelle de 1948, lancée par le mouvement des « Yéménites libres [5] », exilés à Aden mais également très proches des réformistes égyptiens, tout particulièrement des Frères musulmans d'Hassan al-Banna.

À partir des années 1950, les réformistes musulmans cèdent en partie la place aux nasséristes et aux baathistes qui commencent à leur faire concurrence [6]. Ce sont les étudiants yéménites inscrits à al-Azhar ou à Dar al-'Ulûm qui relayent les idées nouvelles puis, de plus en plus directement, la presse écrite et les ondes de « La voix des Arabes ». La révolution républicaine, nourrie par l'immobilisme et l'autoritarisme du régime imamite d'Ahmed (1948-1962), fils et successeur de Yahyâ, n'aurait toutefois jamais eu lieu dès 1962, alors même qu'Al-Badr, très libéral, venait de prendre la succession de son père Ahmed, si Gamal Abd al-Nasser,

---

4   Voir *Les Mémoires d'Ahmed Mohamed Nu'man*, texte (en arabe) édité par Ali Zayd, CEFAS/ CAMES/Madbouli, Sanaa/Beyrouth/Le Caire, 2004. Sur l'iconographie de cette période de la modernisation yéménite, voir François BURGAT (dir.), *Le Yémen vers la République (1900-1970). Iconographie historique du Yémen*, CEFAS, Beyrouth/Sanaa, 2004.

5   Leigh DOUGLAS, *The Free Yemeni Movement, 1935-1962, op. cit.*

6   « Les uns sont bien connus, tels Afghani, Kawakibi, Chakib Arslan, rappelle Mohamed Al-Ahnaf, et d'autres le sont moins comme le Palestinien M. Ali-Tahir et le Tunisien Abdel-Aziz Tha'alibi (le fondateur du parti nationaliste Destour). Leur champ d'action ne se limitait pas à la patrie qui les a vus naître, mais couvrait tous les terrains où le hasard et les nécessités du combat les appelaient » (Mohamed AL-AHNAF, « Al-Fudhayl al-Wartilânî, un Algérien au Yémen : le rôle des Frères musulmans dans la Révolution de 1948 », *Chroniques yéménites*, 1999, CEFAS, Sanaa (<cy.revues.org>). Voir également François BURGAT et Marie CAMBERLIN, « Yémen : aux sources de la révolution républicaine », *in* Rémi LEVEAU (dir.), *Les Monarchies arabes, transitions et dérives dynastiques*, Institut français des relations internationales/Institut des études transrégionales/Université de Princeton, La Documentation française, Paris, 2002, p. 121-140.

soutenu et armé par l'URSS, n'avait pas voulu contrecarrer au sud de la Péninsule les ambitions politiques et idéologiques de ses concurrents saoudiens et de leurs soutiens américain et britannique.

Cette problématique, qui relativise fortement l'absence de syndrome colonial peut être, pour l'essentiel, étendue à l'Arabie saoudite, où l'importance des influences étrangères, en croissance exponentielle depuis la présence ottomane jusqu'à la seconde guerre du Golfe, est plus grande encore. Pascal Ménoret a très bien montré que l'idée d'une société saoudienne demeurée à l'abri du fait colonial doit en effet être fortement relativisée[7]. Même si les Britanniques ne l'ont pas jugée suffisamment importante pour la coloniser, l'Arabie a bien vécu dans un ordre de type colonial qui a eu en réalité trois titulaires successifs. La « colonisation » fut d'abord ottomane, soit sous la forme d'interventions militaires au cœur du Najd, de 1818 au milieu du XXe siècle, soit, le plus souvent, sous la forme de subsides versés aux élites traditionnelles, pour les téléguider aussi sûrement qu'une occupation en bonne et due forme. La colonisation fut ensuite britannique, avant d'être américaine.

Atypiques dans leur forme, ces dominations furent parfaitement fonctionnelles elles aussi. Après un fugitif protectorat britannique (1915-1927), les diplomates ou agents secrets britanniques puis américains d'abord, les cadres pétroliers américains de l'« État » Aramco ensuite y ont joué, jusqu'à la tardive nationalisation de 1988, avec une efficacité comparable, le rôle tenu ailleurs par l'instrument plus coûteux de l'appareil colonial d'État.

Les ingrédients de la recette islamiste propres à la deuxième et à la troisième temporalité, qui voient se multiplier les concessions culturelles, économiques, puis politiques ou même militaires, des élites dirigeantes vis-à-vis de l'environnement occidental, rapprochent la configuration de la Péninsule de celle du reste du monde arabe, lorsqu'ils ne sont pas plus prononcés encore, comme en Arabie saoudite sous tutelle américaine. Partiellement soustraits à

---

7 Pascal MÉNORET, *L'Énigme saoudienne, op. cit.*

la norme de l'acculturation coloniale par le fait qu'ils n'ont pas connu l'instrument étatique de cette domination, les pays de la Péninsule n'échappent ainsi aucunement, on va le voir, à la matrice explicative générale de l'islamisme contemporain.

Le Yémen et l'Arabie saoudite face à Washington, ou la fin de l'exception péninsulaire

Au Yémen comme en Arabie, l'absence partielle ou le caractère atypique de la temporalité du tête-à-tête colonial ont été en quelque sorte compensés par la donne très spécifique des deux temporalités suivantes, où les différentes formes de pression étrangères vont être d'autant plus évidentes que la société y avait été moins directement exposée.

Au Yémen, en 1962 (comme cela avait été le cas en 1948), c'est d'une capitale étrangère — Le Caire — celle du « nationaliste arabe laïque » Gamal 'Abd al-Nasser, alors engagé dans une violente campagne répressive contre les Frères musulmans, que va venir le catalyseur de la « modernisation révolutionnaire ». La révolution, est même déclenchée par Nasser lui-même. Il ne prend de surcroît pas la peine d'en informer les leaders des Yéménites libres exilés au Caire, et ne craint pas davantage d'aller contre le sentiment de ses relais militaires à Sanaa, les « Officiers libres » yéménites. Ceux-ci craignent en fait de subir, comme en 1948, la colère vengeresse des tribus habituées à désavouer les interventions perçues comme « étrangères ». C'est Nasser encore qui, au prix d'une longue présence militaire, assure, non sans difficulté, la survie ultérieure du nouveau régime jusqu'au pacte de 1970 mettant fin à la guerre civile. Par militaires ou hommes liges interposés (Abdallah Sallal, de « petite naissance », ou Abderrahmane Baydani, « né de mère égyptienne et de père inconnu », comme se plairont à les décrire leurs opposants, dont le cofondateur des Libres, Ahmed Mohamed Nu'man), c'est Nasser toujours qui, jusqu'à la débâcle de juin 1967, gouvernera en réalité, presque sans partage, la République née sur les terres de l'antique royaume de la reine de Saba.

Un épisode particulièrement emblématique permet de mesurer la vigueur de cette tutelle : lorsqu'il apparaît à son conseiller pour les affaires yéménites, un certain Anouar al-Sadate, que le gouvernement de ce pays a des velléités d'émancipation, Nasser fait purement et simplement emprisonner (en septembre 1966) les soixante membres de la délégation gouvernementale et diplomatique arrivée au Caire par avion spécial, dont tout le gouvernement. Ahmed Mohamed Nu'man, qu'il considère comme le responsable des velléités d'émancipation de ses protégés, y passera plus d'une année[8] ! Les effets de cette irruption brutale — et armée — du nassérisme dans l'imaginaire politique du Nord, avant et après la révolution de 1962, ne sauraient donc être sous-estimés.

Si la première des trois « temporalités », celle du face-à-face colonial, est partiellement absente de la chronologie islamiste yéménite et saoudienne, les acteurs de la deuxième temporalité ont donc bel et bien vécu une situation comparable à celles des territoires ayant subi la colonisation. Au début des années 1960, les mémoires du Yémen du Nord portent témoignage de certains épisodes très proches de ceux que vécurent les citoyens des républiques les plus laïques. Même si l'instauration de la République arabe du Yémen en 1962 a bénéficié de l'appui des Frères musulmans, et que l'aile nassérienne la plus radicale y a été mise en minorité, la chute de la monarchie a en effet été ressentie par beaucoup comme le début d'un insupportable recul de la référence religieuse. De fait, la chute d'un imamat zaydite perçu avant tout comme religieux semble bien avoir légitimité, au moins conjoncturellement, la montée d'une attitude ouvertement antireligieuse dans certains cercles du pouvoir[9]. Dénonciation de la pratique de

---

8   Voir *Les Mémoires d'Ahmed Mohamed Nu'man*, *op. cit.*
9   Voir François BURGAT, « Le Yémen islamiste entre universalisme et insularité », *in* Franck MERMIER *et alii* (dir.), *Le Yémen contemporain*, *op. cit.*, p. 221 *et sq.* L'un des éditoriaux de la revue du Rassemblement yéménite pour la réforme, *Al-Nûr*, rappelle en ces termes, trente ans plus tard, cet épisode : « Il n'était dans l'esprit de personne que [la] révolution de 1962 puisse être éloignée de la lumière de l'islam. [...] Deux jours après la révolution, nous eûmes

la prière dans certains établissements d'enseignement, abandon, voire interdiction du culte dans les académies militaires, tonalité nassérienne du discours politique au cours des premières années de la République ont à l'évidence introduit une certaine rupture dans le continuum symbolique.

Au sud, dans le même temps, après l'indépendance de 1967, la problématique de la « désislamisation » fonctionnait, bien sûr, plus classiquement, malgré de solides résistances populaires sur ce terrain. Les « partisans de l'islam » y sont plus ou moins marginalisés de la sphère publique et de la représentation politique. Les *awqaf* (fondations dont la gestion garantissait traditionnellement leurs ressources aux institutions religieuses) passent sous contrôle gouvernemental. Classiquement, les cultes des saints des confréries soufies sont favorisés, dans la logique d'une « retraditionalisation » de la pratique religieuse supposée prévenir ou ralentir sa « politisation » oppositionnelle. Sous l'influence du grand frère soviétique, les législations civiles sont fortement « sécularisées », le port du voile étant notamment combattu dans toute la fonction publique. Une partie des élites religieuses choisit alors la voie de l'exil vers le nord ou l'Arabie [10].

En Arabie saoudite, derrière le paravent du « fondamentalisme d'État », se produit une évolution qui n'est pas sans rapport avec celle du Yémen du Nord. Les rois Saoud et Faysal vont engager et promouvoir des technocrates formés à l'occidentale et progressivement reléguer les oulémas à des fonctions seulement honorifiques.

Le « bon » fonctionnement du paradigme islamiste dans un environnement qui n'a pas subi le choc colonial s'explique dès lors de la même manière que s'explique la présence d'un certain degré de modernité occidentale dans un pays qui n'a pas été au contact direct du producteur initial de cette modernité. Au rythme

---

toutefois la surprise d'entendre une voix "mécréante" chanter à tue-tête dans la radio nationale : "Désormais, ce ne sont plus les bigots qui gouverneront." »

10 Franck MERMIER *et alii* (dir.), *Le Yémen contemporain, op. cit.* ; Paul DRESCH, *A History of Modern Yemen, op. cit.* ; Sheila CARAPICO, « Civil society in Yemen : a political economy of activism in Modern Arabia », *Cambridge Middle East Studies*, n° 9, Cambridge University Press, 1998.

lent où cette modernisation a été importée, fût-ce par des médiateurs arabes, l'alchimie de la « réaction » islamiste s'est tout de
même produite. La troisième temporalité va la « parfaire » et accélérer le retour de la Péninsule dans le tronc commun de l'histoire
régionale. Face à la poussée interventionniste et hégémonique de
la superpuissance américaine, les itinéraires péninsulaires non
seulement rejoignent le tronc commun de l'histoire de la mobilisation islamiste, mais ils y acquièrent une particulière exemplarité.

Avec la seconde guerre du Golfe, c'est en effet sur le registre militaire que, deux ans à peine après la nationalisation de l'Aramco
(en 1988), dont elle va considérablement réduire la portée, se
manifeste l'irruption de l'ordre impérial américain dans la Péninsule. Les princes saoudiens, craignant pour leur trône, acceptent
alors l'invitation pressante des États-Unis de financer la campagne
de libération du Koweït et l'installation de troupes américaines sur
leur territoire. On sait le rôle déterminant que va jouer cet épisode
dans la montée de la contestation islamiste et l'engrenage de la
répression gouvernementale.

Le Yémen n'est pas épargné par cette conjoncture. Dès 1990,
accusé d'avoir soutenu le camp de Saddam Hussein, il est brutalement ostracisé par Washington et ses alliées, les monarchies pétrolières. Les conséquences de ce boycottage financier vont être
dramatiques pour l'économie d'un pays qui venait d'entrer dans
l'épreuve de la réunification : un million de travailleurs émigrés
sont expulsés d'Arabie saoudite, ouvrant une terrible crise économique et sociale dont, quinze années plus tard, le pays n'est pas
complètement remis. Après le 11 septembre, les pressions américaines vont se faire plus directes, Washington entreprenant alors
de « normaliser » le Yémen [11]. Arabie et Yémen se rejoignent ainsi
au cœur même des effets de l'unilatéralisme américain, une partie
de leurs ressortissants réintégrant sans réserve l'« universel » de la
rébellion islamiste à l'égard d'une tutelle étrangère illégitime.

---

11 François Burgat, « Dans l'engrenage de la guerre : la normalisation du Yémen », *Le Monde
diplomatique*, février 2003.

Le Yémen, un temps le moins autocratique des régimes de la région, tend ainsi irrésistiblement à rejoindre les rangs des adeptes de la « formule politique arabe ». Sa « normalisation » va être en tout état de cause à l'origine directe de la campagne répressive lancée, en juin 2004, contre les partisans de Hussein Badr al-Dîn al-Huthi, qui représente la première déchirure majeure de la vieille formule transactionnelle entre les islamistes et le pouvoir du président Sâleh [12]. Les pressions américaines au Yémen sont peut-être ainsi en train de remettre en cause les subtils équilibres de la transaction entre le pouvoir, les islamistes et les tribus, qui avaient été longtemps la clef de la stabilité politique du pays, lui permettant d'échapper aux tensions inhérentes aux politiques de répression, voire d'éradication de la génération islamiste [13].

Comme à Riyad, le régime de Sanaa est aujourd'hui contraint de faire des concessions sécuritaires et diplomatiques qui affaiblissent sa crédibilité idéologique et politique face à son opposition. Ce qui facilite l'identification croissante de l'opinion publique à la ligne

---

[12] Fils de bonne famille du Nord-Yémen, Hussein Badr al-Dîn al-Huthi est un ancien député, cofondateur en 1990 du parti « Al-Haqq », l'une des réminiscences, dans le cadre républicain, de l'expression politique du rite zaydite. Le chef de l'État, en 1997, l'a encouragé à créer une association (La Jeunesse croyante), dont il attendait sans doute qu'elle divise les rangs de l'opposition religieuse. En 2002, il entre en tension avec le régime, ou, plus exactement, le régime lui fait part de sa réprobation, au fur et à mesure que se radicalise son discours contre la politique américaine et israélienne dans la région. À la demande des autorités américaines, l'armée entreprend, en juin 2004, de mettre un terme à sa campagne de mobilisation et l'accuse de vouloir rétablir l'ancien imamat. Après sa disparition, en novembre de la même année, à la suite d'une attaque aux gaz de combat lancée contre la caverne où il s'était retranché, son père a pris sa succession dans un conflit qui a fait pour l'heure plusieurs centaines de morts dans les rangs de l'armée aussi bien que dans ceux des « rebelles ».

[13] La légitimité historique acquise de très longue date par le courant islamiste — à travers sa lutte contre l'imamat d'abord (en 1948), son soutien à la République ensuite (et la mobilisation des tribus par Zubayri et son Parti de Dieu) puis au régime du président Ali Abdallah Sâleh (par la lutte contre les « marxistes » du Sud avant et après la réunification) — s'est traduite par le fait que les islamistes, acceptés dans le système oppositionnel légal et, pendant un temps, associés au pouvoir, étaient jusqu'à cet épisode demeurés à l'écart des prisons comme de la tentation de l'opposition révolutionnaire (voir Ludwig STIFTL, « The Yemeni islamists in the process of democratisation », *in* Franck MERMIER *et alii* (dir.), *Le Yémen contemporain*, op. cit., p. 247 ; Jilian SCHWEDLER, « The Yemeni Islah party : political opportunities and coalition building in a transitional polity », *in* Quintan WIKTOROWICZ (dir.), *Islamist Activism. A Social Movement Theory Approach*, Indiana University Press, Bloomington, 2003).

d'une résistance « islamique » emblématisée par Oussama Ben Laden, l'un de ses fils émigrés vers le nord saoudien.

La réaction islamiste aux « dysfonctionnements » d'un processus d'« occidentalisation » perçu comme menaçant l'appartenance culturelle et politique musulmane, aurait donc bien été d'une certaine manière « importée » dans la Péninsule au fur et à mesure que celle-ci sortait de son statut partiellement protégé des pressions occidentales directes. La mondialisation politique y a, en quelque sorte, remis à l'heure les pendules de l'histoire en y exportant les dynamiques réactives dont elle avait été un temps préservée. Malgré des causalités culturelles moins apparentes du fait de l'absence de « désislamisation coloniale », la mobilisation islamiste s'est donc nourrie dans la Péninsule d'une perception de plus en plus « universelle », à l'échelle du monde musulman, de la réalité et de l'impact, culturel, mais également économique et politique, de l'hégémonie occidentale. Au fil de cette mondialisation des représentations, l'imaginaire politique des Yéménites et des Saoudiens s'est mis rapidement au diapason des grandes mobilisations et des grandes tensions idéologiques régionales et mondiales.

Les Frères musulmans au miroir yéménite

Même rentrées dans le tronc commun de la problématique identitaire, les trajectoires de l'islamisme au Yémen n'en apportent pas moins des éclairages originaux. La dynamique de réislamisation, portée notamment par les Frères musulmans, y a été en fait, dans le contexte très particulier d'une société qui n'avait pas été... désislamisée, étroitement associée à celle de la modernisation. C'est-à-dire à l'avènement de nouvelles formes d'organisation politique (et au premier chef, l'adoption d'une Constitution), mais aussi au dépassement des barrières élevées par les appartenances primaires inhérentes à la hiérarchie sociale ou aux clivages sectaires.

Au Yémen, les Frères musulmans, sous l'impulsion directe de Hassan al-Banna, ont en effet été les promoteurs actifs de l'introduction du constitutionnalisme dans la pensée islamique, et donc de la modernisation de cette pensée [14]. Mais la leçon yéménite, sur ce terrain, ne s'arrête pas là. Lorsqu'ils ont voulu, en 1948, introduire la référence constitutionnelle dans le tissu institutionnel et doctrinal de l'imamat, les représentants de l'organisation égyptienne et leurs alliés yéménites ont été eux-mêmes rejetés par la société politique traditionnelle comme insupportablement « étrangers », tout comme l'avaient été les Jeunes Turcs, pourtant « musulmans » eux aussi, pour des raisons différentes mais pas tout à fait incomparables.

On peut tirer de cet épisode une triple conclusion. La confirmation d'abord que les Frères musulmans égyptiens, les « pères fondateurs » de l'islamisme contemporain, n'ont pas renié l'héritage modernisateur des réformistes qui les ont précédés et inspirés et ne sont certainement pas inscrits en rupture ou en « régression » par rapport à eux, comme l'ont écrit tant de leurs contempteurs récents, malgré les avertissements donnés très tôt contre de telles simplifications [15]. L'attitude de l'intelligentsia modernisatrice yéménite à l'égard des envoyés de Hassan al-Banna est de ce point vue très significative : entre 'Abduh, Kawakibi [16] et al-Banna, les Libres yéménites n'ont perçu aucune de ces frontières que croient pouvoir tracer aujourd'hui ceux qui défendent l'idée d'une opposition radicale entre leur pensée et celle de leurs prédécesseurs réformistes.

Lorsque leur pensée a été, comme en Égypte, précédée par l'irruption de la modernisation politique, les Frères musulmans vont effectivement s'efforcer de l'« islamiser » et de faire réintégrer

---

14 La figure emblématique de l'interventionnisme des Frères est celle du nationaliste algérien Al-Fudayl al-Wartilânî. Arrivé en avril 1947 sous les traits d'un négociant, l'émissaire d'Hassan al-Banna fut la cheville ouvrière de la révolution de 1948. C'est lui qui rédigea la Charte sacrée, document programmatique à valeur constitutionnelle qui devait être l'instrument de la réforme de l'imamat (voir Mohamed Al-Ahnaf, « Al-Fudhayl al-Wartilânî, un Algérien au Yémen », *loc. cit.*).

15 Notamment par Olivier Carré et Gérard Michaud, *Les Frères musulmans*, Gallimard, Paris, 1983 ; ou Olivier Carré, *Mystique et politique. Sayyid Qutb*, Presses de Sciences Po, Paris, 2002, p. 27 *et sq.*

16 Voir notamment François Burgat et Mohamed Sbitli, « Les "Libres" yéménites, le courant réformiste et les Frères musulmans. Premiers repères pour l'analyse », *loc. cit.*

la référence islamique dans l'univers du constitutionnalisme moderne — ce qui incitera certains observateurs, qui confondent la forme et le fond, à penser qu'ils ont été les artisans du rejet de cette modernisation. Le terrain yéménite fournit une éclatante preuve que l'histoire est singulièrement plus complexe : lorsque ces mêmes Frères musulmans égyptiens, au sortir de leur propre confrontation avec la modernisation politique, vont se retrouver au Yémen face à un système politique vierge de toute modernisation, ils vont se faire les artisans de la légitimation de cette modernisation et non point ceux de son rejet.

C'est cette leçon yéménite qu'explicite l'« islamiste » Mohamed Qahtân, cadre du parti Islah, lorsque, pour spécifier l'itinéraire historique de la modernisation au Yémen, il fait remarquer : « Partout dans le monde arabe, les disciples de Hassan al-Banna ont cherché à réaffirmer la présence de l'islam dans les Constitutions », alors que, « au Yémen, à l'opposé, ils ont contribué à introduire la Constitution dans l'islam [17] ». Dans les deux cas, leur attitude, bien éloignée des postures traditionnelles, a eu comme effet d'ancrer le constitutionnalisme comme forme modernisée de la politique.

La deuxième conclusion méthodologique est sans doute plus importante encore. Le discours « religieux » ne se réduit pas nécessairement à la « tradition » ou aux formes endogènes de la culture héritée : il peut être le véhicule de toutes sortes de dynamiques, y compris des ruptures modernisatrices, voire révolutionnaires. Dans la pensée des Frères musulmans en particulier, dans la mobilisation islamiste en général, le regard occidental tend régulièrement à ignorer la dimension politique et à surdéterminer la dimension religieuse. Des pans entiers de la société yéménite traditionnelle ont, à l'inverse, perçu cette pensée comme visant à « introduire le politique dans le religieux et à son détriment » et donc comme souffrant d'un déficit de religiosité. Ils l'ont alors rejetée comme telle.

---

17 Mohamed Qahtân, l'un des dirigeants du parti Rassemblement yéménite pour la réforme, créé en 1990 au Yémen par les Frères musulmans ; entretien avec l'auteur, Sanaa, mars 2003.

Avant 1948, l'imam Yahyâ n'a eu ainsi aucune difficulté à disqualifier le discours des Frères musulmans et à faire passer ses auteurs comme voulant « résumer » (et donc amputer) le Coran. Pour les Occidentaux, les Frères musulmans sont (jusqu'à ce jour) demeurés illégitimes en tant qu'ils réaffirmaient la place de la référence religieuse dans le champ politique et portaient, ce faisant, atteinte à l'autonomie du politique ; à l'inverse, pour les Yéménites de 1948, opposés aux réformes modernisatrices des « Libres », ces mêmes Frères, si « musulmans » soient-ils, sont apparus, et leur réforme constitutionnelle avec eux, comme illégitimes du fait que leur affirmation de l'autonomie du politique se faisait au détriment de la centralité de la référence religieuse. Il en sera de même en 1962, lorsque le coup d'État militaire, dépourvu de soutien populaire, ne réussira que grâce au soutien massif de l'Égypte nassérienne.

La pensée des Frères, si « religieuse » qu'elle ait été, a donc été disqualifiée à deux reprises par une partie du tissu social et politique du Yémen en tant que... vecteur de rupture modernisatrice [18]. La troisième conclusion, pour évidente que soit la thèse qu'elle confirme, est le message que le double échec de la révolution yéménite confirme aux réformateurs ou même politiciens de tous bords. Les meilleures causes, desservies par un déficit de communication, peuvent engendrer des rejets « irrationnels » de la part de leurs bénéficiaires pressentis. La leçon répétée des deux échecs successifs des révolutions yéménites de 1948 et de 1962 est claire : lorsque le vocabulaire politique se coupe de l'univers symbolique de la culture intuitive, la locomotive de la modernisation risque de se séparer des wagons de la société qu'elle entend transformer. C'est la thèse que va reprendre à son compte Mahmûd Zubayri, l'un des cofondateurs des Libres, dont l'expérience est au cœur de la « démonstration » yéménite.

---

18 Dans *L'Islamisme en face*, j'ai notamment proposé l'hypothèse que, « en reconnectant le processus de modernisation avec l'univers symbolique de la culture intuitive, [la réislamisation] permet que ce processus, jusque-là réservé aux élites urbaines acculturées, affecte l'ensemble de la société ».

En 1962, les Libres, défaits une première fois lorsqu'ils avaient voulu réformer l'imamat en 1948, craignent de l'être à nouveau, tant ils peinent à contenir la contre-révolution royaliste, solidement ancrée dans le tissu rural. Alors marginalisé, sans doute en partie pour sa proximité avec les Frères musulmans, Zubayri constate que les modernisateurs islamistes yéménites viennent une nouvelle fois d'échouer à mobiliser la population rurale contre une monarchie dont pourtant chacun s'accorde à reconnaître le caractère dictatorial. Malgré — ou peut-être à cause de — l'appui militaire essentiel de leurs alliés égyptiens, la République, cette *jumhûriya* dont bon nombre d'hommes de la campagne pensent qu'elle n'est autre que l'« épouse de Nasser », doit faire face à une désaffection croissante des tribus (c'est-à-dire à l'essentiel de la société rurale) et les Libres voient se profiler un nouvel *échec politique et militaire cinglant.* « Pourquoi les deux révolutions yéménites ont-elles successivement échoué ? », se demande alors le révolutionnaire déçu. La réponse qu'il voit se profiler est claire : les « modernisateurs », pour s'être éloignés de la version la plus intuitive du langage religieux, sont en train de payer, par leur isolement, le prix de leur non-respect d'une règle universelle de la mobilisation politique.

En 1964, voyant s'effriter dangereusement l'assise du régime républicain de 'Abd Allâh al-Sallâl, Zubayri va alors démissionner de son poste ministériel et partir, accompagné de quelques proches (dont 'Abd al-Majîd Zindânî, futur cadre dirigeant du parti Islah des Frères musulmans), à la rencontre des puissantes tribus de la périphérie de Sanaa. Pour ne plus refaire les erreurs de communication du passé, il décide cette fois que la plate-forme idéologique de la réconciliation entre tribus et « modernisateurs » républicains, entre société rurale et élite urbaine, s'appellera ni plus ni moins que le... Hizb Allâh, le « Parti de Dieu [19] ». Fort des enseignements de sa double défaite, il entend bien faire appel aux ressources de la culture la plus traditionnelle des gens des tribus et

---

19 Abdelmalek Tayyib et François Burgat, « Muhammad Mahmûd Zubayrî et la fondation du Parti de Dieu », *Chroniques yéménites 1998-1999*, CEFAS, Sanaa, 2000, p. 63-65.

s'abstraire de ce raccourci moderniste qui les avait dressés contre la première génération des réformistes. Le ralliement progressif des tribus va lui donner raison.

Plus que jamais, avant d'être divine, la loi « de Dieu » était alors, au Yémen comme partout ailleurs, « endogène ».

5

Les Frères et les salafis, entre modernisation et littéralisme, avec ou sans radicalisation

Même ceux qui, dans le monde musulman, font preuve d'une certaine empathie à l'égard de la colère des partisans de l'action directe et pourraient le cas échéant cautionner le recours aux armes, ne reprennent pas pour autant à leur compte le simplisme dichotomique de la théologie de guerre d'Oussama Ben Laden ou d'Aïman al-Dhawahiri. Le ressentiment anti-occidental en général, anti-américain et anti-israélien en particulier, est assurément assez largement répandu dans les courants islamistes contemporains. Mais la « confessionnalisation » essentialiste par laquelle le discours d'Al-Qaida tend à rendre compte des causalités, de la légitimité et des modes d'expression de la riposte islamiste ne l'est pas nécessairement par tous, tant s'en faut.

Sur ce terrain, les adeptes d'Al-Qaida ne représentent donc réellement qu'une fraction, parmi d'autres, des acteurs d'une dynamique intellectuelle et politique et leur isolement, même relatif, peut être légitimement souligné : ils ne sont que l'une des composantes d'un champ islamiste à la fois diversifié et en constante évolution.

Des alliés afghans de Ben Laden, les talibans déchus — mais pas nécessairement impopulaires dans toutes les zones rurales qu'ils ont

gérées [1] —, jusqu'au Premier ministre turc Erdogan, au leader marocain du Parti de la justice et du développement ou au président du
Parlement yéménite, en passant par les militants libanais du
Hezbollah chiite d'Hassan Nasrallah [2], du mouvement sunnite de
Fathi Yakan [3] ou du Parti de la libération islamique (fondé en 1952
en Jordanie par Taqi Eddîn Nabhani, pour restaurer le califat), la
dynamique de réislamisation produit dans le champ politique des
courants aux différences idéologiques affirmées : ses adeptes ont en
tout état de cause recours aujourd'hui à l'entier éventail des modes
d'action politique classiques. Et dans leur écrasante majorité, ils
participent activement aux processus de modernisation et de développement de leurs sociétés respectives et, plus largement, du
monde qui les entoure.

Pour ne pas risquer de tomber dans le réductionnisme que l'on
s'efforce de dénoncer, il est clair qu'il ne s'agit pas ici de les
présenter dans toute leur diversité. Chaque situation nationale
demanderait en effet une conséquente monographie. Tout au plus
veut-on rappeler, avec insistance, le danger qu'il y aurait à laisser
une expression, radicale politiquement mais également en rupture
sectaire avec la dynamique de modernisation politique, confisquer
l'entière visibilité d'une dynamique qui ne s'y réduit aucunement.

Les Frères musulmans et la réhabilitation « endogène » de la modernisation

Les courants influencés lors de leur création par la pensée fondatrice des Frères musulmans, qu'ils soient ou non liés organique-
ment au centre égyptien et qu'ils se réclament ou non de cette

---

1 Voir Gilles DORRONSORO, *La Révolution afghane. Des communistes aux tâlebâns*, Karthala, Paris, 2000.

2 Voir Karin KNEISSEL, « Il faut distinguer entre le terrorisme et la résistance » (suivi d'un entre-tien avec Hassan NASRALLAH, « La nouvelle question d'Orient »), *Confluences Méditerranée*, n° 49, mai 2004.

3 Sur la vision du leader sunnite libanais, voir notamment Fathi YAKAN, *Islamic Movement Problems and Perspectives*, American Trust Publications, Indianapolis, 1984 ; *Que signifie mon appartenance à l'Islam*, Tawhîd, Lyon, 1999.

influence, peuvent vraisemblablement être considérés à ce jour comme les plus influents dans la majeure partie du monde musulman sunnite [4]. Les grands thèmes fondateurs de la pensée d'al-Banna restent partout d'actualité, même si les logiques de modernisation et de « nationalisation » traversant le monde musulman, les tensions inhérentes à l'affirmation intellectuelle et politique des musulmans vivant dans les pays occidentaux de tradition chrétienne tendent un peu partout, il est vrai, à remettre en question ou à relativiser l'hégémonie ou même la centralité politique et doctrinale de ce noyau égyptien fondateur.

Globalement, dans la plupart des pays où il a une existence légale, ce courant « frériste », au sens large, demeure toutefois la matrice de l'opposition islamiste parlementaire. Cette centralité est attestée d'autant plus facilement par les urnes que son principal challenger islamiste, le courant salafi, ne cherche généralement pas à venir l'y concurrencer. Elle est attestée également par le fait que tous les régimes qui craignent tant le verdict de ces urnes préfèrent significativement (Maroc, Tunisie, Égypte, Syrie) écarter les Frères de l'accès à la scène électorale. Ils y sont néanmoins souvent présents, fût-ce sous des identités d'emprunt (Maroc, Égypte, Yémen, Koweït, Algérie [5]), et ont été associés, à des degrés divers, à l'exercice du pouvoir dans plusieurs pays (Yémen, Jordanie et, hors du monde arabe, Turquie). En acceptant les règles du parlementarisme, ils ont clairement rompu avec la lecture littérale de la pensée politique islamique classique dont ils ont été de ce fait, dans le monde musulman, les principaux artisans de la modernisation endogène.

---

4 Sur le double terrain de la modernisation ou de la radicalisation politique, il est difficile d'attester d'une spécificité structurelle du monde chiite iranien ou des composantes chiites du paysage politique libanais, irakien, saoudien ou yéménite. Si des tensions sectaires persistent (et continuent à être instrumentalisées, notamment en Irak), partout, les passerelles politiques et les convergences intellectuelles, sinon doctrinales, avec les sunnites peuvent être attestées. Pour un exemple yéménite des modes de communication intersectaire, voir Samy DORLIAN, *Les Filières islamistes zaydites au Yémen : la construction endogène d'un universel politique*, mémoire pour le master de politique comparée, IEP Aix-en-Provence, 2005.
5 La participation des Frères musulmans au Parlement algérien ne tient qu'à la rupture intervenue très tôt entre le Front islamique de salut et leur représentant, Mahfoud Nahnah (fondateur du mouvement Hamas), et le fait que celui-ci a préféré, pour sortir de son isolement, attesté à deux reprises par les urnes de juin et décembre 1990, composer très vite avec le régime militaire.

Pour l'essentiel, ils se sont en effet rangés clairement dans le camp de ceux qui acceptent le principe et les exigences de la sécularisation du politique et de son autonomisation.

Ce ne sont pas leurs plaidoyers, ou ceux de leurs avocats, qui le démontrent, mais bien la violence de la rupture avec eux manifestée par l'Égyptien Sayyid Qutb et ses disciples, explicitée notamment par la virulence des attaques d'Aïman al-Dhawahiri contre le bilan de l'action des disciples d'Hassan al-Banna depuis leur création en 1928. C'est dans son livre *La Récolte amère, soixante années de Frères musulmans* [6], publié en 1988, que celui qui allait devenir le numéro deux d'Al-Qaida dresse ce réquisitoire. Il existe plusieurs façons de sélectionner, mais surtout de lire, et de faire parler les textes des idéologues d'Al-Qaida. En l'occurrence, l'intérêt caché mais néanmoins essentiel de *La Récolte amère* est de permettre de mesurer l'importance de la rupture modernisatrice opérée par les Frères par rapport à la lecture littéraliste du dogme musulman des fondateurs « qutbistes » d'Al-Qaida, arc-boutés sur leur rejet inconditionnel des apports législatifs et constitutionalistes de la modernité occidentale. Pour Dhawahiri, comme en son temps pour Qutb, l'Égypte, en important les références constitutionnelles et législatives européennes, a brutalement amputé le territoire de souveraineté de la référence islamique. Et cette dépendance à l'égard de l'univers symbolique et normatif de l'Occident est pour lui à la source de tous les problèmes sociaux et politiques du pays.

L'imaginaire de Dhawahiri illustre ici éloquemment la permanence de la problématique réactive entre la première et la seconde des trois temporalités de l'islamisme. « Les Britanniques, après avoir soustrait l'Égypte qu'ils occupaient depuis 1882 à l'Empire ottoman, poussèrent la classe d'Égyptiens autochtones qu'elle avait fabriquée à adopter une Constitution implantant les fondements de la laïcité », dénonce-t-il pour poser le cadre de sa critique

---

6 Dont les pages de conclusion ont été traduites en français par Jean-Pierre Milelli et commentée par Stéphane Lacroix, précédées d'une utile biographie de l'auteur, dans : *Al-Qaida dans le texte*, présentation de Gilles Kepel, PUF, Paris, 2005. Voir également Dominique THOMAS, *Les Hommes d'Al-Qaida*, Michalon, Paris, 2004 ; *Le Londonistan, la voix du jihâd*, Michalon, Paris, 2003.

de la « laïcisation » des Frères musulmans. « Ce fut, en 1923, la première Constitution égyptienne et même la première Constitution d'un pays arabe, considérée aujourd'hui comme la matrice de toutes les Constitutions égyptiennes et ultérieures ainsi que de toutes les Constitutions arabes qui en ont été ensuite adaptées. » En 1883, un an après le début de l'occupation britannique, avaient déjà été promulguées, à destination des tribunaux égyptiens, « des lois dérivées pour l'essentiel des codes français, en lieu et place des dispositions [coutumières ou] de la loi musulmane, [...] dont seuls continuèrent à s'appliquer quelques éléments relatifs au droit de la famille ou à ce que l'on nomme le statut personnel ».

Pour étayer son argumentaire, Dhawahiri cite alors longuement les articles de la Constitution de 1923 et leur contrepartie dans celle de 1971. La référence musulmane y a été exclue au bénéfice de ce « droit positif » ou de cette « loi » (*qânûn*), dont la première caractéristique est à ses yeux son allogénéité au système symbolique musulman. Là où l'objectif du législateur, chaque fois qu'il fait référence au « droit » ou à la « loi », est de signifier le recul de l'arbitraire, l'imaginaire politique de Dhawahiri ne veut donc voir qu'une nouvelle marque du recul du système symbolique musulman et de sa déchéance : progrès de la « loi » signifie « expulsion de la *charia* » et progression de l'emprise du « droit des mécréants ». « L'article 6 de la Constitution », dénonce-t-il ainsi, ose disposer qu'il n'y a « pas de délit et pas de sanction sans loi ». Cela démontre à ses yeux que délits et sanctions sont tombés dans l'escarcelle de la « loi » étrangère et échappent ainsi à l'emprise régulatrice du seul droit légitime, la loi musulmane.

La liste des malentendus suit le tracé de l'entier édifice constitutionnel : la Constitution ne dispose-t-elle pas que les arrêts des diverses juridictions s'appliquent « conformément à la loi » ? Cette disposition n'est-elle pas reprise dans la Constitution de 1971 ? L'article 125 de la Constitution de 1923 ne dispose-t-il pas que « les juges sont indépendants et ils ne répondent d'aucun autre pouvoir que de celui de la loi » ? Le « malentendu » est tout aussi explicite sur le terrain de la souveraineté que le nouveau système dit (ou prétend) « populaire ». Le pouvoir législatif serait dévoyé, dans les Constitutions de 1923 comme dans celle de 1971, aux mains de sources « humaines » : « La souveraineté appartient au peuple et à lui seul et il est la source de tous les pouvoirs. » « Tous ces articles, argumente-t-il, donnent donc le pouvoir de légiférer à des êtres humains. » Cette violation de la divinité suprême par « associationnisme », c'est-à-dire partage de la divinité par l'homme, est aux yeux de Dhawahiri le cœur de la « démocratie », qu'il condamne absolument, car « nul autre que Dieu ne détient le pouvoir de légiférer pour une créature de Dieu ». « Or, conclut-il, c'est sur la base de ces Constitutions que, successivement, ont gouverné le roi Fouad jusqu'en 1936, puis le roi Farouk (1936-1952), puis Mohamed Nagib (1952-1954), Gamal Abd al-Nasser (1954-1970), Anouar Sadate, (1970-1981), puis Hosni Moubarak. »

Sur les autres terrains, dont celui de l'accès de la femme à l'espace public professionnel et politique, les Frères musulmans ont également franchi — non sans difficultés [7] — un certain nombre d'étapes symboliques majeures qui demeurent l'objet de blocages dans d'autres compartiments du champ islamiste.

Les excroissances modernisatrices

L'une des typologies possibles consiste ainsi à situer les différentes composantes du courant islamiste sur une échelle de la modernisation sociale et politique, préalablement définie dans son noyau considéré comme universel [8]. Le rythme relatif auquel chaque courant a entrepris de réécrire « aux couleurs de la culture

---

7 Comme en attestent les tensions au sein du courant yéménite, où plusieurs femmes ont été élues aux instances dirigeantes du parti Islah, mais où leur candidature à un mandat électif n'est pas encore à l'ordre du jour.

8 Comme j'ai proposé de le faire dans *L'Islamisme en face*, en considérant cette modernisation comme le résultat du développement d'un espace du politique autonome, préalable obligé à la reconnaissance des exigences de la démocratie (institutionnalisation des modalités de transmission du pouvoir, limitation du recours à la violence répressive des États, affirmation de l'égalité de droit des minorités confessionnelles, affirmation de l'autonomie de la femme dans l'espace familial et de son accès à l'espace public professionnel et politique, etc.).

islamique endogène » ou de se « réapproprier culturellement », les principaux produits de la modernisation intervenue, au cours du XIXᵉ siècle, dans les domaines où l'Occident avait conjoncturellement précédé les sociétés de culture musulmane, fait apparaître, de part et d'autre des Frères, deux tendances concurrentes qui tendent soit à freiner, soit à accélérer le rythme de cette réhabilitation endogène, fût-elle sélective, de la « modernité importée ».

Les excroissances islamistes du « tronc frériste » s'en démarquent à propos de l'ampleur et du rythme des modernisations sociales et politiques entreprises jusqu'à ce jour. Pour certains, ces modernisations assumées (dont les prises de position du cheikh Qaradawi sur la chaîne qatarie Al-Jazira fournissent un bon échantillon [9]) ont été et demeurent considérées comme inacceptables dans leur principe et en tout état de cause beaucoup trop rapides dans leur rythme. Pour d'autres, dont l'ancrage social semble toutefois significativement moins important, elles apparaissent, à l'inverse, comme insuffisantes ou incomplètes.

Ces derniers acteurs, partisans d'une modernisation accélérée, ont entrepris de se démarquer, tout particulièrement à partir des années 1990 [10], de ce qu'ils perçoivent comme une forme d'immobilisme des Frères. Ils dénoncent généralement la difficulté des disciples d'Hassan al-Banna, à l'instar du Soviet suprême de l'URSS dans ses beaux jours, à renouveler leurs membres dirigeants, créant une tension générationnelle à l'intérieur même de leur mouvement. En Égypte, le Parti du travail, puis le parti Wassat (qui a tenu à associer des chrétiens coptes) et désormais plusieurs jeunes pousses indépendantes, privent ainsi les Frères « historiques » aussi bien du monopole de la contestation « islamiste » de l'indéboulonnable Hosni Moubarak que de celui de la

---

9 Voir par exemple Yusuf AL-QARADAWI, *Priorities of the Islamic Movement in the Coming Phase*, Awakening Publications, Swansea, 2000. Le prédicateur de la chaîne qatari, superviseur du site Islam Online, y développe notamment sa différence avec les dérives réactives du qutbisme et les principales expressions du courant littéraliste salafi se réclamant d'un auteur, Ibn Taymiyya, que selon lui, ils ne connaissent pas.

10 Même si on en retrouve bien sûr la trace auparavant : l'intellectuel égyptien Mohamed Amara explique ainsi qu'il avait préféré s'affilier au parti « Jeune Égypte » plutôt qu'aux Frères musulmans, lesquels, à ses yeux, n'étaient pas assez éclectiques dans leurs lectures.

modernisation « endogène » de la référence religieuse [11]. Le long d'une ligne qui sépare au moins partiellement les générations, les réformistes (telle l'équipe du site Internet Islam Online) remettent en cause les verrous qui entravent encore à leurs yeux la modernisation de l'héritage d'Hassan al-Banna : les critiques portent souvent sur la tendance à l'enfermement sectaire de la vieille garde, sa culture du secret héritée des années noires de la répression et de la clandestinité, une certaine difficulté à communiquer avec d'autres courants islamiques, voire une touche... d'« égyptocentrisme », etc.

Des prêcheurs médiatiques, dont Amr Khaled est l'un des emblèmes en Égypte, ont adopté pour leur part un style de mobilisation médiatique à la fois piétiste, désengagé du champ politique et particulièrement pragmatique dans sa relation avec l'autoritarisme du régime [12]. Ces « cyberprêcheurs », au style proche de celui des évangélistes américains, annoncent-ils pour autant une « dépolitisation » de l'islamisme, dont le « dépassement » serait ainsi une fois de plus à l'ordre du jour, tout comme le serait la problématique identitaire de l'islamisme ? Cela paraît peu probable. Dans le cas égyptien (mais pas seulement), la mainmise persistante du régime sur le champ social et politique est un paramètre qui limite sans doute considérablement la portée de cette « dépolitisation » apparente de certains compartiments de la mobilisation islamiste.

Hors de la « mère Égypte », les formations inspirées directement ou non du courant égyptien ont toutes opté dans la pratique pour une certaine autonomie de pensée et d'action. Au Maroc, Nadia Yassine, la fille du fondateur de l'association marocaine Justice et Bienfaisance (al-'adl wal-Ihsân), constitue un bon exemple de cette modernisation active d'une pensée jamais « soumise » aux Frères mais initialement influencée par leur héritage [13]. Le PJD marocain

---

11 Voir Xavier TERNISIEN, *Les Frères musulmans*, Fayard, Paris, 2005.
12 Voir notamment Patrick HAENNI, « L'islam branché de la bourgeoisie égyptienne », *Le Monde diplomatique*, septembre 2003.
13 Voir : Nadia YASSINE, *Toutes voiles dehors*, Alter Éditions, Épinay-sur-Seine, 2003 (et Le Fennec, Casablanca, 2003) ; Malika ZEGHAL, *Les Islamistes marocains. Le défi à la monarchie*,

(Parti de la justice et du développement), qui a choisi de transiger avec les exigences du régime, explore dans le royaume — auquel les attentats de Casablanca en 2003 ont donné un prétexte pour retomber dans la vieille ornière répressive — les possibilités et les limites de l'opposition légale. En Arabie saoudite, où le courant des Frères a largement contribué à la modernisation de l'héritage du wahhabisme, un mouvement libéral, réunissant quelques intellectuels chiites et sunnites, poursuit la lecture critique de l'héritage du wahhabisme en explorant lui aussi les possibilités du réformisme « apolitique » ou, à tout le moins, non oppositionnel [14]. Le travail réformiste entrepris par Rached Ghannouchi, leader en exil à Londres du mouvement tunisien En-Nahda et opposant inflexible à l'autoritarisme de Zîn al-Abidîn Ben Ali, est sur plusieurs points plus ambitieux que celui des oulémas d'al-Azhar. Il a été notamment l'un des premiers leaders religieux à se démarquer de la condamnation classiquement admise de l'apostasie. Les courants réformistes plus ou moins institutionnalisés présents en Europe ou aux États-Unis jouent par ailleurs un rôle de plus en plus important dans l'évolution de l'héritage d'Hassan al-Banna [15]. À l'avant-garde de cette dynamique réformiste, le Suisse Tariq Ramadan a osé ainsi proposer un moratoire général, dans l'ensemble du monde musulman, sur l'application des peines pénales coraniques [16].

La Découverte, Paris, 2005 ; Mounia BENNANI-CHRAÏBI, Myriam CATUSSE, Jean-Claude SANTUCCI (dir.), *Scènes et coulisses de l'élection au Maroc. Les Législatives 2002*, Karthala, Paris, 2004 ; Frédéric VAIREL, *Nouveaux Contextes de mise à l'épreuve de la notion de fluidité politique : l'analyse des conjonctures de basculement dans le cas du Maroc*, thèse pour le doctorat de sciences politiques, IEP, Aix-en-Provence, 2005.

14 Voir Mamoun FANDY, *Saudi Arabia and the Politics of Dissent, op. cit.* ; Stéphane LACROIX, « Between islamists and liberals : Saudi Arabia's new "islamo-liberal" reformists », *Middle East Journal*, vol. 58, n° 3, 2004, p. 352.

15 Voir Jocelyne CESARI, *L'Islam à l'épreuve de l'Occident*, La Découverte, Paris, 2004 ; Tariq RAMADAN, *Les Musulmans d'Occident et l'avenir de l'islam*, Sindbad, Paris, 2003.

16 La diversité des registres sur lesquels se sont exprimées les réactions à cette proposition — réticences ou condamnations de principe plus que soutiens — venues du monde musulman constitue un bon prisme de lecture de la portée et des limites des dynamiques réformistes en cours. Tariq Ramadan a répondu aux insinuations malveillantes de tous ceux qui, en Europe, lui avaient reproché de n'opposer qu'un « moratoire » à l'application des peines coraniques en rappelant que c'est l'expression même qu'avait employée Jacques Chirac à propos de l'application de la peine de mort dans le monde : « Le "noble" moratoire

Les formes de la « réaction » salafie

À l'autre bout du spectre, outre les anciens courants piétistes (tablighis), la principale alternative au courant frériste est le courant salafi, auquel les idéologues d'Al-Qaida peuvent, à certains égards, être rattachés. L'histoire de la mouvance salafie varie d'une enceinte nationale à une autre et les concepts qui permettent d'écrire celle-ci ne sont à vrai dire sans doute pas encore tous disponibles. Les salafis sont nés parfois d'une dissidence manifeste du tronc frériste, comme celle de Qutb en Égypte. Ils ont pu, comme en Arabie, avoir une assise préalable à ce courant tout en subissant son influence. L'un des principaux dangers méthodologiques est sans doute de faire à leur égard les mêmes amalgames que le sens commun continue à faire jusqu'à ce jour vis-à-vis du phénomène islamiste tout entier.

Le courant salafi est en fait divers et, derrière son immobilisme proclamé, tout aussi « dynamique ». Pascal Ménoret a utilement rappelé le caractère réducteur de son identification rigide au « wahhabisme », en montrant l'historicité propre de la référence à l'idéologie du fondateur du royaume saoudien et la multiplicité des usages dont elle fait aujourd'hui l'objet [17]. Si l'on doit toutefois trouver un dénominateur commun à cette composante du paysage islamiste, c'est bien en suivant la ligne de démarcation que cultive l'immense majorité de ses membres à l'égard des Frères musulmans. L'étude déjà évoquée du parcours du Yéménite Muqbîl — même si on ne saurait, compte tenu notamment des variables propres au contexte saoudo-yéménite, lui faire rendre compte de la totalité du salafisme — permet d'en souligner les principaux repères doctrinaux [18].

---

de Jacques Chirac, l'"ignoble" moratoire de Tariq Ramadan : "double discours" ou "double audition" » (article disponible notamment sur les sites <Oumma.com> et <Tariqramadan.com>).

17 Pascal MÉNORET, « Le wahhabisme, arme fatale du néo-orientalisme », *loc. cit.*

18 Voir *supra*, chapitre 1 ; et François BURGAT et Mohamed SBITLI, « Les "Libres" yéménites, le courant réformiste et les Frères musulmans. Premiers repères pour l'analyse », *loc. cit.*

Les salafis ont en commun d'assimiler l'essentiel des concessions faites par les Frères musulmans à la libéralisation politique et à la modernisation sociale, à autant d'altérations inacceptables de la référence coranique et de la tradition du Prophète de l'islam. Même si aucune autre expression activiste de l'appartenance religieuse (ni les tablighis apparus dans les années 1920 en Inde, ni le Parti de la libération islamique fondé en 1952 en Jordanie ne trouve grâce à leurs yeux, ce sont les Frères musulmans qui constituent, à l'échelle du siècle écoulé, le principal repoussoir de leur affirmation doctrinale, comme en témoigne Muqbîl : « Nous ne nous sommes appelés "ahl al-Sunna" [gens de la tradition prophétique] que parce que nous avons vu que les Frères musulmans étaient dans la *bid'a* et qu'il en était de même de Jamâ'at al-tablîgh. [...] Les "gens de la tradition", ce sont ceux qui ont pris pour guide le Prophète, dans ses dires, dans ses choix et dans ses comportements. Lorsque les Frères musulmans nous ont reproché cela et ont commencé à être considérés comme faisant partie d'un monde différent, tous ceux qui ne leur ont pas prêté allégeance sont devenus l'objet de leur animosité. Lorsque leur réputation s'est dégradée au sein de la société yéménite, qu'un grand nombre de gens ont pris conscience que leur *da'wa* [prédication] était devenue matérialiste alors que chacun croyait que quiconque appelle à Dieu faisait partie des Frères musulmans, nous avons décidé, même si nous craignions d'aggraver la situation en multipliant les groupes, de choisir un nom pour nous différencier [19]. »

Cette « doctrine » salafie n'est toutefois pas homogène, ni encore moins statique, notamment sur le terrain essentiel de la participation au pouvoir politique et des critères d'appréciation des régimes. Même s'ils récusent le principe démocratique dans son essence, plusieurs courants salafis dans la Péninsule arabique votent et présentent des candidats (notamment lors des élections législatives yéménites de 2003 et lors des premières élections

---

19 Muqbîl Ibn Hâdi al-Wâd'î, *Al-Makhraj min al-Fitna* [Comment sortir de l'impasse de la division], *op. cit.*, p. 20.

municipales d'Arabie saoudite en 2005). Cette prise de distance avec le littéralisme doctrinal des fondateurs (qui refusaient l'iconographie anthropomorphe et donc la télévision, la science expérimentale, etc.) les rapproche manifestement des positions adoptées de longue date par les Frères musulmans. C'est le cas des adeptes d'un transfuge syrien des Frères musulmans, Muhammad b. Nâyif Zayn al-'Âbidîn Surûr [20], et de ceux d'"Abd al-Rahmân 'Abd al-Khâliq, un Égyptien établi en Syrie [21]. De fait des passe-relles individuelles existent d'autant plus naturellement que la mouvance des Frères musulmans a conservé elle-même une composante ou une tendance « salafie ». Au Yémen, dans le Parti du rassemblement et de la réforme, elle est généralement identi-fiée à Abdel Majid Zandani. À l'inverse, la principale fracture du camp salafi yéménite, personnalisée par la dissidence d'Abu Hassan al-Maghrebi, résulte d'une dynamique de « modernisa-tion » qui tend à le rapprocher des positions doctrinales des Frères.

Les hypothèses énoncées sur la base de l'observation du terrain yéménite peuvent donc sans doute être extrapolées en partie au moins dans d'autres terroirs nationaux du salafisme : la dénoncia-tion réactive de la modernisation véhiculée par le courant des Frères et la rupture à leur égard, plus ou moins franche et plus ou moins conflictuelle selon les configurations nationales, n'empê-chent pas un identique processus de modernisation de reprendre son cours, fût-ce à un rythme moins soutenu, le long de jalons comparables, dont le plus important est sans doute la légitimation de la participation aux consultations électorales.

---

20 Né en 1938, celui-ci s'est d'abord rapproché des Frères et de leur dirigeant 'Isâm al-'Attâr au cours de ses études de droit à Damas (1963-1968), avant d'enseigner en Arabie saoudite dans le secondaire jusqu'en 1973, puis de travailler au Koweït pour la revue *Al-Mujtama'a* et le cercle Al-Arqam. Lorsqu'il quitte le Koweït en 1984, il se démarque des Frères musulmans, se rapproche des salafis avant de rompre avec ses nouvelles fréquentations et de fonder au sein même du courant salafi une tendance réformiste qui publie depuis Birmingham en Grande-Bretagne la revue *Al-Sunna*.

21 Celui-ci est notamment l'auteur de *Al-'Hadd al-fâ'sil bayn al-îmân wa-l-kufr* [La limite entre la foi et la mécréance], Dâr al-îmân, Alexandrie, s.d. ; et de *Al-'Amal al-siyâsî 'ind al-muslimîn* [L'action politique chez les musulmans], s.d.

Le « retour » des soufis en politique ?

La mention des deux excroissances « littéraliste » et « modernisatrice » du tronc historique des Frères musulmans ne suffit sans
doute plus à épuiser l'inventaire du « champ islamiste ». Ses frontières avec une autre forme d'expression de la religiosité musulmane, le soufisme, semblent en effet moins tranchées que ne le
laisse croire la classique représentation dichotomique qui oppose
les deux appartenances.

Sur les terrains éducatif et social d'abord, mais, de plus en plus
manifestement, sur le terrain politique, les confréries soufies participent bel et bien à la dynamique de « réislamisation ». Lorsque
ces confréries résistaient à la pénétration coloniale, c'est elles qui
représentaient aux yeux de l'Occident, on l'a parfois oublié, le
« péril islamique » de l'époque [22]. Leur rôle aujourd'hui n'est plus
aussi systématiquement « apolitique » que le regard occidental
aime parfois le penser. Et, sans pour autant adopter les catégories
de la pensée salafie, ou se priver de leurs exigences mystiques, elles
ne sont pas en reste dans l'exigence d'application de la loi musulmane et ne demeurent pas nécessairement passives face aux manifestations de l'hégémonie étrangère.

Ni l'engagement politique local ni la lutte armée « jihadiste »
ne demeurent en fait étrangers aujourd'hui au monde des
confréries. Au Pakistan, le mouvement néoconfrérique de Tahir
ul-Qadri a fait, par le biais d'un parti politique (Pakistan Awami
Tehreek), une fugitive apparition dans l'arène parlementaire.
Depuis plusieurs années déjà, dans le Cachemire pakistanais, en
Afghanistan et, plus récemment, en Irak, des confréries, renouant
avec une pratique banalisée au XIXᵉ siècle, s'engagent ouvertement
dans des mobilisations armées. En avril 2005, les membres irakiens

---

22 « Aucune confrérie musulmane », écrit Jean-Louis Triaud à propos de la confrérie des
Senoussis, « n'a fait l'objet d'une surveillance et d'une hostilité aussi durables de la part de
l'administration et des publicistes français. La hantise de la Sanûsiyya, la dénonciation de
cette confrérie, puis la lutte ouverte contre elle tiennent dans la geste coloniale une place à
part » (Jean-Louis TRIAUD, *La Légende noire de la Sanûsiyya. Une confrérie musulmane saharienne
sous le regard français (1840-1930)*, Éditions de la Maison des sciences de l'homme, Paris,
1995, tome 1, p. 2).

de la confrérie Qadiriya ont annoncé la création d'un « escadron jihadiste d'Abd al-Qader Gilani » (du nom du fondateur de la confrérie). Ajmal Qadri, leader d'une faction du parti islamiste déobandi, Jamiat Ulema-e Islam, proche du groupe jihadiste Jaishe Mohamed (lui-même réputé proche d'Al-Qaida [23]), se révèle être dans le même temps un soufi initié aussi bien à la confrérie Naqsh-bandiya qu'à la Qadiriya. Et il se revendique comme le leader d'une nouvelle confrérie transnationale créée sous le label inno-vant de « World khudam a-dîn » (la « mondiale des serviteurs de la religion »). De nombreuses passerelles « soufislamistes [24] » — si complexes soient-elles — peuvent ainsi être attestées entre deux formes de mobilisation qui n'ont, malgré le discours des acteurs des deux camps, jamais été en fait complètement antinomiques.

La mise en perspective historique des différences montre pour-quoi certaines d'entre elles sont aujourd'hui en train de s'estomper. L'émergence initiale du soufisme et sa réaffirmation de la dimension mystique de la religion peuvent être considérées comme une réaction aux excès du juridisme et du littéralisme de certains des docteurs de la loi [25]. Les critiques réformistes ou « isla-mistes » récurrentes (d'Abdelwahhab à ses descendants salafis contemporains) s'en sont prises par la suite moins à cette dimen-sion mystique de la foi qu'aux pratiques confrériques de vénéra-tion des intermédiaires humains — vivants ou morts — avec Dieu, qui portaient atteinte au principe de l'unicité divine, ou à certains procédés employés pour atteindre l'extase mystique. Outre cette critique de certains rites populaires, la tension entre les islamistes et les soufis s'est nourrie de la passivité apparente des confréries

---

23 Yosri FOUDA et Nick FIELDING, *Les Cerveaux du terrorisme. Rencontre avec Ramzi Binalchibh et Khalid Cheikh Mohammed, numéro 3 d'Al-Qaida*, Le Rocher, Paris, 2003.
24 Pour reprendre l'expression heureuse proposée et documentée par Alix PHILIPPON, « Le soufis-lamisme : l'invention paradoxale d'une nouvelle modernité politique en islam ? Le cas du Minhaj-ul Quran pakistanais », mémoire pour le DEA de sciences politiques, IEP, Aix-en-Provence, 2004. Alix Philippon a mis en évidence le caractère intriqué et changeant des liens entre soufisme et action politique. Voir également sur ce même terrain, mais à propos du Yémen, Amira KOTB, « La Tariqa Ba'Alawiyya et le développement d'un réseau soufi trans-national », mémoire pour le DEA de sciences politiques, IEP, Aix-en-Provence, 2004.
25 Voir notamment Anne-Marie SCHIMMEL, *Le Soufisme, ou les dimensions mystiques de l'islam*, Cerf, Paris, 1996.

dans le champ politique local ou régional. Or cette docilité apparente à l'égard des pouvoirs coloniaux a surtout résulté de l'« efficacité » de la violence de ces pouvoirs. C'était elle, et non l'« essence de la mystique soufie », qui a brisé la capacité de résistance des confréries, les rendant incapables d'affirmer leur emprise sur les mouvements indépendantistes où, dans le champ religieux, les courants réformistes allaient dès lors souvent prendre leur place. Tout particulièrement dans le cas maghrébin, c'est donc cette déroute coloniale qui a contribué à crédibiliser l'idée d'un antagonisme radical entre l'« islamisme » et la passivité apolitique des soufis.

Cette opposition a ensuite été cultivée, instrumentalisée et essentialisée par tous les acteurs, dans et hors du monde musulman, qui souhaitaient trouver une alternative religieuse à la vigueur de la contestation islamiste. Régimes autoritaires, élites « laïques » arabes et observateurs occidentaux de tous bords, y compris dans le champ académique, ont communié ainsi jusqu'à ce jour dans une identique propension à mettre en avant une rassurante alternative soufie à la menace islamiste. Quitte à surestimer sa capacité de mobilisation ou, parfois, à en faire une lecture « politiquement » simplificatrice. Certes, les particularismes des deux affiliations, islamiste et soufie, demeurent parfaitement perceptibles dans les discours comme dans les pratiques ; et la condamnation par les islamistes de la vénération des intermédiaires humains reste intacte. Mais les nuances qu'apportent désormais un certain nombre d'auteurs « islamistes » à la condamnation des soufis, de même que les excroissances modernistes des grandes confréries soufies et leur propension à renouer avec le champ politique incitent à relativiser la distance qui les sépare.

Ce détour hors du champ islamiste classiquement défini incite en tout état de cause à considérer que la radicalisation politique n'est pas nécessairement corrélée à la position des acteurs dans l'un ou l'autre des compartiments du champ religieux ou à une place déterminée sur l'échelle de la modernisation sociale et politique. Il n'est sans doute pas nécessaire d'être salafi, ni d'ailleurs Frère musulman, pour décider de s'opposer, en prenant appui sur son appartenance religieuse, à certaines manifestations des débordements de la présence occidentale dans le monde musulman.

Remettre le phénomène Ben Laden « à sa place » ne consiste donc pas, comme le font nombre d'acteurs, notamment musulmans, *à ne voir dans l'iceberg de la contestation mondiale que sa partie émergée*, en le réduisant à un phénomène cantonné aux terroirs (notamment le courant salafi) où la modernisation politique n'aurait pas encore répandu ses lumières. Le double danger de cette posture — à laquelle les plaidoyers des « défenseurs de l'islam » sont souvent tentés de céder — est de minimiser l'ampleur des dénis de représentation qui nourrissent la radicalisation, et de laisser accroire qu'un cocktail de politiques éducatives suffirait à la faire rentrer dans les rangs de l'ordre mondial et de la modernité politique. Les adeptes des groupes radicaux ne représentent certes qu'une infime minorité dans le monde musulman, mais le nombre de ceux qui refusent de criminaliser leur action comme le font George W. Bush et Tony Blair est bien plus grand. Et les pratiques des concepteurs de la *global war on terror*, dans ses versions américano-irakienne ou européennes, ne permettront pas de le faire décroître, bien au contraire.

6

La radicalisation islamique entre sectarisme religieux et contre-violence politique

« Ousama Ben Laden et d'autres leaders terroristes islamistes s'inspirent d'une longue tradition d'extrême intolérance à l'intérieur d'un courant de l'islam (une tradition minoritaire), depuis au moins Ibn Taymiyya, *via* les fondateurs du wahhabisme, *via* les Frères musulmans, jusqu'à Sayyid Qutb. »

Rapport officiel du Congrès américain
sur les attentats du 11 septembre 2001 [1].

« Nos paroles resteront lettres mortes, comme des fiancées de cire, raides et sans vie. Seule la mort amènera notre résurrection et notre entrée dans le monde des vivants. »

Chant attribué aux militants d'Al-Qaida [2]

Face à la menace que représente pour l'Occident une mobilisation islamiste radicale qui se dit « anti-occidentale », il est essentiel de faire la part entre ses deux dimensions, sectaire et politique, souvent étroitement imbriquées. Si cette mobilisation n'est que « sectaire », alors, en effet, seule l'opposition frontale (comme naguère face au nazisme) est envisageable. Si elle est en partie, voire principalement, politique, alors le rejet frontal n'est sans doute pas la solution la plus légitime ni la plus efficace pour réduire et écarter la menace.

L'hypothèse centrale de ce livre est que, à y bien regarder, la rébellion d'Al-Qaida est moins religieuse que politique et que l'« islamisme radical » recèle infiniment moins de

---

1 Thomas H. KEAN, Lee H. HAMILTON *et alii*, *The 9/11 Commission Report. Final Report of the National Commission on Terrorist Attacks upon the United States Report*, chapitre 12, p. 382.

2 Cité par Yosri FOUDA et Nick FIELDING, *Les Cerveaux du terrorisme, op. cit.*

fondamentalisme religieux, de sectarisme et d'obscurantisme que de défense, pas toujours illégitime, d'intérêts plus trivialement politiques, ou économiques, inextricablement imbriqués dans de très banales affirmations identitaires. Nous entendons également établir que le décryptage des mécanismes de la radicalisation islamiste ne saurait se lire loin du miroir du comportement de l'environnement occidental, où des composantes sectaires tout aussi condamnables participent de bon nombre de mobilisations politiques.

Quelle radicalisation ?

Le terme « radicalisation » est polysémique. Il peut désigner le recours à la violence ou à la lutte armée pour résoudre des conflits ou des différends, au détriment des négociations politiques ou des transactions diplomatiques. Il peut ensuite décrire la crispation idéologique ou « sectaire » d'un repli défensif et intransigeant derrière les frontières de l'appartenance primaire, nationale, ethnique ou religieuse. Cette radicalisation conduit ceux qui s'y inscrivent à criminaliser leurs adversaires non pour leurs actes, mais du seul fait de leur « être » et à dénier ainsi l'accès à l'universel aux appartenances autres que la leur. Ils réfutent ce faisant l'existence du capital de valeurs commun qui permet de faire coexister et coagir les membres des différentes appartenances et, ce faisant, de les transcender. La radicalisation sectaire nourrit les postures racistes. Elle sert à légitimer les *hate crimes* des temps de paix, l'épuration ethnique et les « crimes de guerre » des temps de conflit.

L'une des conditions de la cohabitation avec son *alter ego* étant de pouvoir en être... différent, les identités respectives conduisent ainsi « musulmans » aussi bien qu'« Occidentaux » à essentialiser leur appartenance (leur « culture », leurs « valeurs », leur « civilisation »). Du dedans et du dehors de l'appartenance musulmane, la *vox populi* insiste ainsi à l'unisson — sur un registre criminalisant pour les uns, valorisant pour les autres — pour affirmer l'existence d'un lien palpable entre le « parler » et l'« agir » musulmans, entre l'islamité des acteurs et leur comportement en politique ou en société. Au risque d'amorcer une spirale dangereuse.

Qu'advient-il en effet lorsqu'un acteur politique décide de redonner à la référence islamique sa centralité perdue ? Le primat accordé soudain par l'« Autre » musulman à « son » référentiel (au détriment du nôtre) peut nourrir un double repli sectaire. À une extrémité au moins du spectre de la réislamisation, les adeptes d'un littéralisme étroit, parmi lesquels les membres du courant salafi et les idéologues d'Al-Qaida sont indiscutablement représentés, peuvent céder à une tentation pernicieuse : celle de rejeter indistinctement des pans entiers du contenu le plus universel de l'héritage modernisateur occidental sous le seul prétexte qu'ils n'ont pas été exprimés initialement depuis l'intérieur de l'appartenance musulmane et avec des matériaux symboliques empruntés à cette culture. Cette incapacité à sortir de l'appartenance primaire musulmane manifeste une difficulté qui constitue sans doute le principal obstacle à la modernisation politique du monde, c'est-à-dire à l'affirmation d'un dénominateur commun humaniste capable de transcender les appartenances culturelles et religieuses.

Pas question donc de nier ou de sous-estimer le fait que la dérive du repli communautariste (seule mon appartenance, culturelle ou religieuse, peut produire du « bien », de l'« universel ») fasse partie du paysage ou de certains compartiments du paysage islamiste. Il reste toutefois à pondérer à la fois l'étendue relative de ce repli et le degré de sa spécificité « musulmane ». Or la dérive sectaire occupe dans le monde musulman une place qui est tout à fait comparable à celle qu'elle occupe au sein d'autres identités, y compris chrétienne ou « occidentale ». Et rien ne permet en tout état de cause d'en faire la substance ou l'essence explicative de la dynamique de réislamisation.

En effet, les islamistes les plus « littéralistes » ne sont pas les seuls à avoir la tentation de rejeter de façon irraisonnée tout ou partie des expressions de la culture « de l'Autre ». Le regard occidental, jusque dans les plus hautes sphères de l'intelligentsia et de la classe politique, emprunte lui-même bien souvent des raccourcis tout aussi réducteurs. À ceux qui contestent son statut privilégié et s'expriment autrement qu'avec ses catégories terminologiques, la tentation est forte pour l'interlocuteur occidental de refuser le droit d'accès à la table et à la négociation politiques. L'émergence sur la scène mondiale de revendications ou, *a fortiori*, de contestations libellées dans une terminologie « islamique » inacceptablement étrangère, dérange en quelque sorte la confortable perception qui voulait que le « communautarisme » occidental occupât légitimement tout le champ de l'universel. Moins consciemment, la « peur du vocabulaire de l'Autre » se nourrit sans doute également du sentiment que cette « rétrogradation » dans les rangs du « pluriel mondial » pourrait annoncer d'autres reculs, économiques ou politiques, plus difficiles encore.

Un « intégrisme », dans ce domaine comme en d'autres, peut donc en révéler un autre. Les revendications territoriales d'un « voisin » ne sont jamais faciles à accepter. Dès lors qu'elles ne s'expriment pas avec les codes de notre culture intuitive, elles deviennent parfaitement inacceptables.

Et que dire du cas où elles ne viennent pas du voisin, mais s'expriment à l'intérieur du pré carré identitaire national ? Lorsque, sortant de l'enclos de leur communauté, les voix « musulmanes » d'Europe entendent exprimer des ambitions universalistes, elles provoquent un rejet qui frôle l'irrationnel. Ainsi s'expliquent peut-être, même si cela ne les excuse pas, les affligeants dérapages des contradicteurs français de Tariq Ramadan — cette « crapule », comme l'ancien ministre Bernard Kouchner s'est autorisé à le qualifier [3] —, lorsqu'une sorte de niaiserie hargneuse et arrogante tient lieu, pour lui « répondre », d'éthique et de logique. L'intellectuel musulman qui, tout en en conservant le lexique, prétend sortir de l'enclos de son appartenance, ne renvoie-t-il pas la tribu « gauloise », qui s'était un temps arrogé le

---

3   L'éditorialiste Alain Duhamel l'a traité pour sa part de « bateleur » ; le député socialiste Julien Dray a dit publiquement son souhait de « lui mettre son poing sur la gueule » ; etc.

monopole d'expression de l'universel, à la réalité plus exiguë et moins valorisante de son propre communautarisme ?

Cultures différentes, valeurs partagées

« L'Amérique du Nord et l'Europe sont deux pays, qui, tradition-nellement, historiquement, partagent les mêmes valeurs et ont donc vocation à mener les mêmes combats. » Les observateurs n'ont pas manqué de moquer le lapsus par lequel le président Jacques Chirac, au cours d'une conférence de presse tenue à Londres le 18 novembre 2004 avec le Premier ministre Tony Blair, avait fait de l'« Amérique du Nord » et de l'« Europe » deux « pays », et supposément, se retourner le général De Gaulle dans sa tombe. Personne en revanche n'a relevé la distribution très unilatérale des « valeurs » qu'impliquait une telle formulation. Les autres continents ne partagent-ils donc aucune de nos valeurs ? Et est-ce donc contre eux, Africains et autres Asiatiques, qu'Europe et Amérique devront mener leurs « combats » communs à venir ?

Toutes appartenances, religieuses ou culturelles, confondues, nous sommes en fait nombreux à extrapoler plus ou moins consciemment l'originalité, bien réelle et fort respectable, de nos cultures respectives à une « spécificité », voire une « unicité », largement idéologique celle-là, de nos valeurs.

Musulmans et non-musulmans éprouvent en réalité une même difficulté à établir une distinction essentielle : comme Atatürk (pour qui la modernité ne pouvait s'acquérir qu'en portant une casquette à visière identique à celle des Européens), ils confondent l'appareillage symbolique (emprunté à l'histoire, la religion ou la culture) qui donne aux valeurs (de justice sociale, d'égalité entre individus, etc.) la saveur « endogène » qui les rend légitimes aux yeux de chaque communauté, ethnique, nationale ou religieuse, avec l'enjeu pratique, universel, de la référence à ces « valeurs ». Ils pensent donc ainsi que l'usage de lexiques différents implique l'adoption de valeurs qui le sont tout autant.

Or, pour l'essentiel, il n'en est rien. Les valeurs humanistes ne peuvent être corrélées aujourd'hui à aucune culture particulière. Tout au plus peuvent-elles s'exprimer différemment selon le contexte social et culturel, dans une société rurale et agricole prémoderne ou dans une société industrielle et urbanisée. D'identiques valeurs peuvent être légitimées aux yeux de groupes humains diversifiés par des idéologies (religieuses ou matérialistes) très différentes, voire antagoniques, pourvu qu'elles aient pour dénominateur fonctionnel commun le fait d'être extraites du patrimoine historique, religieux ou profane, propre au groupe concerné. Dans chaque culture, dans chaque religion, au nom d'Allah, de Jésus ou de la République, les droits essentiels de la personne ou du groupe humain peuvent trouver aujourd'hui les références qui justifient leur respect et leur garantie.

La défense des valeurs n'est donc pas conditionnée par celle des appartenances primaires (religieuses, culturelles ou linguistiques, nationales ou « continentales »), avec laquelle elle ne saurait être confondue sans risque de discriminer les autres appartenances. Cette différence n'est pas toujours comprise. Elle est pourtant évidente. Lorsqu'on accueille un visiteur à sa table ou lorsque l'on est reçu à celle d'un hôte étranger, on peut légitimement vouloir faire goûter ou goûter — et le cas échéant défendre — les expressions de la plus large diversité culturelle. Il en va de même, dans le salon, en matière de littérature ou de musique, ou pour les registres vestimentaire et linguistique. Il est légitime de vouloir préserver cette vaste gamme de saveurs et de sonorités, d'expressions artistiques et de modes de socialisation. Ces liaisons particulières de l'individu au monde sont autant de ressources nécessaires à sa transaction avec cet environnement.

Mais si d'aventure le feu vient à prendre à la demeure, si les vivres viennent à manquer, si l'un des habitants tombe malade, si un agresseur belliqueux menace, l'analyse du problème, l'évaluation de la situation et la prise des décisions qui s'« imposent » ne requièrent nulle « diversité culturelle ». Musulman, chrétien, bouddhiste, athée, socialiste ou libéral, chacun, quelle que soit son « identité culturelle », adhérera à une action qui ne pourra qu'être identique, les valeurs véhiculées par les cultures de chacun prenant immédiatement une signification commune. Quelle différence restera-t-il ? Untel voudra peut-être penser qu'il « fait le bien » car il suit les préceptes du fils de Marie, un autre se dira qu'il obéit au « commandement de faire le bien » ou d'« empêcher le mal » révélé au Prophète Mohamed, un autre, athée, se suffira de sa seule conscience humaniste.

Lorsque la situation à laquelle doit faire face la communauté internationale s'appelle torture, ou lorsqu'elle s'appelle famine et maladie, ou encore privation de liberté, autoritarisme politique, violence aveugle, intolérance, tous « combats » que la France et les États-Unis ont sans doute à cœur de mener « en commun », la diversité culturelle qui identifie le camp « de l'Amérique et de la France » n'a plus cours. Justice sociale, justice internationale, respect des droits divers des personnes ou des minorités n'ont que faire de la « diversité ». Ou bien elles s'en accommodent, mais le résultat est le même. Ni l'appartenance culturelle ni l'adoption d'une référence religieuse ne déterminent alors le champ de l'action sociale ou politique.

Cette universalité des valeurs n'échappe certes pas à tous et l'idée, lentement, fait son chemin, y compris d'ailleurs dans le camp « islamiste ». « Si l'Occident avait seulement été capable de respecter ses propres valeurs, soulignait ainsi, il y a déjà quinze ans, Leith Chbeilat, alors leader de l'une des formations islamistes de la scène jordanienne, député élu avec le soutien d'une partie de la communauté chrétienne, nous serions tous devenus... occidentaux [4]. » Ce constat essentiel d'une universalité des valeurs est pourtant resté depuis d'autant plus minoritaire que le discours des responsables politiques occidentaux ne fait rien, comme on vient de le rappeler, pour le crédibiliser, laissant depuis fort longtemps entendre à leurs interlocuteurs musulmans, qu'elle ne saurait exister que dans la langue et sous les habits de leur seule culture. Avant même la radicalisation sectaire de George W. Bush (« *With us or against us* ») et de Tony Blair, déjà évoquée, celle de

---

4   Amman, entretien avec l'auteur, mars 1990.

l'Amérique de Ronald Reagan ou du Royaume-Uni de Margaret Thatcher avait contribué à alimenter sans surprise, sous les couleurs de l'islam, une radicalisation sectaire symétrique que les déséquilibres politiques du monde ont depuis lors considérablement amplifiée.

C'est bien à l'aune de cette double radicalisation « géopolitique » qu'il faut analyser les deux formes de radicalisation de la mobilisation islamiste, politique et sectaire, qui se sont développées conjointement, comme on l'a vu souvent dans bien d'autres situations historiques, en dehors de toute présence de la référence « islamique ».

Violence politique et débordements sectaires

La « ligne rouge » du repli sectaire de l'islamisme et le mécanisme de sa transgression sont relativement faciles à mettre en évidence : ils se manifestent chaque fois que les soldats israéliens ou américains sont combattus non pas en tant qu'occupants, mais en tant que « juifs » ou en tant que « chrétiens », au nom de leur religion ou de leur nationalité, comme des « mécréants », c'est-à-dire au nom de leur allogénéité à l'égard de la communauté de celui qui les combat. À l'évidence, de nombreux militants islamistes pratiquent la disqualification sectaire de ceux qu'ils entendent combattre : musulmans qui, à leurs yeux, ne le sont « pas assez », juifs ou chrétiens qui ne le sont « pas du tout », les condamnations englobent régulièrement, au-delà de leur agenda politique, l'identité primaire de l'adversaire. Face à un autre musulman, c'est la rhétorique du *takfîr* qui est mobilisée pour priver l'adversaire des garanties d'une appartenance légitime. Face à des non-musulmans, c'est une identique « mécréance » qui est sollicitée pour disqualifier. L'enfermement ultime de Sayed Qutb puis de Ben Laden et de ses suivants dans leur appartenance religieuse, mobilisée contre les « croisés » et les « juifs », relève bien de cette posture, qui doit être dénoncée et combattue.

La vigueur des condamnations qui s'élèvent chaque fois qu'un citoyen de confession israélite est agressé, dans sa dignité ou dans sa mémoire, au nom de son appartenance, est essentielle. L'antisémitisme, dont on oublie parfois qu'il est le produit de l'histoire européenne bien plus que de celle du monde musulman, en constitue l'une des pages les plus noires, qui ne doit jamais être oubliée. Pour les proches des victimes, bien sûr, mais peut-être plus encore, pour tous les descendants des acteurs ou des témoins de l'indicible. Le rappel de ce principe ne souffre aucune réserve, aucune tiédeur, aucune « nuance ».

C'est sur le ciment de cette affirmation que, précisément, le droit à la réflexion et à une vigilance entière et lucide doit être réaffirmé. La pire façon d'entretenir la vigilance antisectaire serait de laisser ses gardiens supposés la priver de son assise universelle, de laisser s'instaurer le sentiment que l'émoi humaniste est réservé désormais aux uns plus qu'aux autres, et que les principes qui fondent les nations, et le monde, ont de ce fait une géométrie à deux vitesses. La vigilance antisectaire ne saurait être détournée de sa fonction et dévoyée au service d'objectifs politiciens sectoriels ou des ambitions territoriales d'un camp ou d'une tribu au détriment de ceux de tous.

Or c'est précisément cette dérive dangereuse — et au demeurant contre-productive — qui se manifeste dans le discours essentialiste de la politique américaine sur le « radicalisme islamiste ». En le réduisant exclusivement à ses composantes sectaires, en refusant de reconnaître l'infinie variété de révoltes politiques, pas toutes illégitimes, qu'il comporte, ce discours conduit inévitablement à écarter toute autre réponse que militaire. Et en écartant les possibles solutions politiques, il contribue bien évidemment à nourrir les racines de ce « mal » qu'il prétend « éradiquer ». Pour rechercher les moyens réellement efficaces de réduire les menaces qu'il fait peser sur la paix mondiale — si du moins c'est bien l'objectif poursuivi par les puissances occidentales —, il est au contraire indispensable de produire une analyse réaliste et documentée de l'intrication complexe des composantes sectaires et politiques de cette résistance « islamiste radicale » trop souvent considérée sur le seul registre de l'anathème.

Tous les replis sectaires ne sont certes pas « justifiés » par la proximité d'une logique de contre-violence. Mais suffit-il pour autant de stigmatiser la composante sectaire d'une mobilisation politique pour la discréditer tout entière ? Suffit-il ainsi de repérer, ce qui est parfaitement possible, dans la longue histoire des Frères musulmans égyptiens ou dans celle, plus récente, des combattants du Hamas, des proclamations religieuses excluantes, des formules malmenant la frontière entre antisionisme et antisémitisme, ou autres traces de repli sectaire pour en conclure « scientifiquement » au sectarisme éternel de ces courants politiques et de tous ceux qui, à un moment ou à un autre de leur histoire, s'en sont réclamés ou ont soutenu leurs combats ?

Quelle recevabilité aurait en France un tel critère d'évaluation de la légitimité des acteurs politiques, s'il était appliqué aux prises de position des ancêtres immédiats (ou des acteurs actuels) de n'importe laquelle des familles politiques françaises, que ce soit au sujet de leur relation au judaïsme, de leur représentation de la population allemande, ou plus éclairant encore, de la représentation et du traitement des populations de l'empire colonial français ou de leurs descendants ? La composante sectaire d'une mobilisation identitaire ou politique doit certes être identifiée et, redisons-le encore, condamnée clairement comme telle. Elle ne peut pas en revanche servir d'unique clef de lecture pour définir cette mobilisation tout entière. Si la composante sectaire que l'on peut déceler et condamner dans l'histoire des Frères musulmans devait suffire à les exclure de l'arène contemporaine du politiquement légitime, alors bon nombre de familles politiques en Occident, et non des moindres, devraient, de longue date, en avoir été exclues. Le regard occidental sur la mobilisation islamiste pratique pourtant en permanence cet amalgame.

Pour que la condamnation indispensable du « sectarisme islamiste » apporte autant de lumière qu'elle fait régulièrement de bruit, et pour que les sectarismes, tous les sectarismes, chaque fois et partout où vraiment ils sévissent, puissent être condamnés et combattus aussı vigoureusement qu'ils le méritent, il faut démonter le processus de leur gestation. Et éclairer le rôle exact qu'ils jouent, ou ne jouent pas, dans l'alchimie de la violence incriminée, que ce soit dans les ordres politiques internes, comme en Algérie ou en Égypte, dans l'arène internationale des conflits tchétchène, palestinien ou irakien, ou dans celle des attaques portées, depuis 1998, contre des cibles américaines ou européennes.

Il convient ainsi de pouvoir répondre à une double question : le repli sectaire est-il un produit inhérent à la « maladie de l'islam », est-il consubstantiel à la seule mobilisation islamiste, dont il constituerait une sorte de marqueur propre, justifiant un opprobre tout particulier, ou bien participe-t-il plus banalement d'un « concert » relativement universel de replis identitaires et sectaires, présents sous des formes et des discours variables au sein des autres appartenances, religieuses ou matérialistes, ethniques ou culturelles, un peu partout sur la planète, y compris dans l'Occident du camp des dominants ?

La question corollaire est sans doute plus essentielle encore : le débordement sectaire chez les islamistes a-t-il précédé la violence politique, en constituant la cause, ou, au contraire, les violences (de la discrimination politique et de la répression) en sont-elles à l'origine ? Dans le cas précis des deux figures mythiques de la radicalisation islamiste, Sayyid Qutb dans les années 1950 et Ben Laden dans les années 1990, le repli sur l'appartenance musulmane peut-il être considéré comme la causalité première des violences, ou bien n'est-il que l'accessoire rhétorique d'une contre-violence provoquée par des causes politiques externes et fort profanes ? L'examen attentif des situations historiques concrètes où est né ce radicalisme islamique nous permet d'y répondre à partir de deux hypothèses que l'on va s'efforcer de documenter.

Aux origines de la crispation sectaire

La première l'a déjà été en partie et on y reviendra dans le chapitre final sur les partisans du *hard power* : sous des dehors et avec des sémantiques différentes, la crispation sectaire se manifeste tout aussi fréquemment hors du paysage islamiste. C'est bien un peu partout sur la planète que les métaphores mobilisatrices destinées à discréditer l'ennemi franchissent la ligne rouge de la stigmatisation raciste. En France, le « boche » de la guerre de 1914-1918 ou, bien plus récemment, le « bougnoule » algérien de « sale race » en témoignent amplement. Dans l'enceinte officielle de la Knesset israélienne, les Palestiniens ont pu être assimilés impunément à des « vers de terre qui pullulent partout [5] ». Le président russe Vladimir Poutine parlant des musulmans tchétchènes (« Nous les buterons jusque dans les chiottes ») et le président italien du conseil Silvio Berlusconi parlant de la civilisation islamique (« inférieure à l'Occident ») ont apporté sur ce registre de remarquables contributions. Chrétiens et musulmans libanais, dans l'enceinte du confessionnalisme, ne sont pas les derniers à criminaliser leurs appartenances respectives [6]. Tous ces dérapages, qu'ils soient ou non métaphoriques, doivent bien évidemment être identifiés comme tels et strictement condamnés. Ils ne sont nullement inhérents à l'univers de l'islam, mais bien latents également, et parfois explicites, dans les manifestations de l'unilatéralisme à la fois politique et culturel de l'Occident.

La seconde hypothèse est que la radicalisation sectaire de la génération Al-Qaida et, avant elle, celle de la génération dont Sayyid Qutb a été l'emblème, sont la conséquence directe de l'atmosphère répressive et violente de l'environnement politique, national et international, dans lequel elles sont intervenues, et non l'inverse.

---

5   Cité par Pascal BONIFACE, *Vers la quatrième guerre mondiale ?*, Armand Colin, Paris, 2005.
6   Ugharit Yunan a recensé les contours étonnants du parler populaire dans ce domaine (Ugharit YUNAN, *Kayfa nataraba 'ala al Ta'ifiyya* [L'éducation confessionnelle], Dar al-Jedîd, Beyrouth, 1997).

Le sens commun tend souvent à considérer que la radicalisation sectaire est l'antichambre de la radicalisation politique. La règle est pourtant loin d'être établie. À l'inverse, c'est peut-être bien, dans bon nombre de cas, la radicalisation politique qui est l'antichambre de la radicalisation sectaire, qu'elle entraîne et qu'elle requiert. Dans le double cas emblématique de Qutb et de Ben Laden, c'est la violence de l'environnement politique local, les dénis de représentation d'une génération politique et le soutien de l'environnement international à la mise en œuvre et à la légitimation de cette violence qui semblent avoir joué un rôle déterminant, on va le voir, dans le processus d'enfermement sectaire sur l'appartenance religieuse.

La différence est essentielle. Soumis aux violences de son environnement, un acteur politique en viendra inéluctablement, *avant* de passer à la contre-violence, à chercher une rhétorique attestant de l'illégitimité de son adversaire et la légitimité de son propre combat. Là où leurs prédécesseurs l'auraient puisée dans les ressources de leur appartenance ethnique (comme le colonisateur dans les vertus du progrès qu'il entendait imposer au monde des « barbares »), Qutb et ceux qui le suivaient ont pris dans le patrimoine hérité de la culture islamique les catégories leur permettant d'idéologiser (c'est-à-dire de légitimer) la condamnation radicale de leur oppresseur nationaliste légitimant sa violence par l'appartenance ethnique arabe. Sans nier — on va y revenir — que le littéralisme tatillon des salafis puisse constituer une antichambre au repli sectaire, et que celui-ci puisse accompagner le passage à la résistance armée, l'engagement dans l'action directe des « jihadistes » et autres combattants suicides n'a pas nécessairement besoin de cette forme-là de justification idéologique.

La présence, dans les rangs des candidats palestiniens aux attaques suicides, de membres de tout l'échiquier politique local (et pas seulement des islamistes) illustre à sa manière cette réalité que le regard extérieur tend le plus souvent à nier. L'universitaire américain Robert A. Pape rappelle à ce propos ce qui tarde à s'imposer comme une évidence : « C'est l'occupation [des territoires palestiniens], et non le fondamentalisme islamique, qui est

à l'origine des attaques suicides[7]. » « Le fondamentalisme islamique, précise-t-il, n'est pas aussi étroitement associé avec les
attaques suicides que le pensent tant de gens. Les leaders
mondiaux en la matière sont [...] les Tigres du Tamoul, du Sri
Lanka, qui sont marxistes et parfaitement laïques. »

Les attentats suicides ne se multiplient pas parce que, comme
on l'entend trop souvent, « l'idéologie jihadiste se répand particulièrement facilement grâce à Internet », mais plutôt parce que, de
la Palestine à l'Irak et de la Tchétchénie à l'Afghanistan, la
violence de l'environnement occidental augmente objectivement.
Ils se multiplient parce que les dichotomies simplificatrices de
l'idéologie jihadiste, fondées sur un antagonisme insurmontable
entre l'appartenance musulmane et l'appartenance occidentale,
sont jour après jour crédibilisées par l'unilatéralisme arrogant de
bon nombre des responsables politiques occidentaux vis-à-vis du
monde musulman. Ou par l'infinie intolérance de leurs boucliers
médiatiques, autorisés à prôner ouvertement la pérennité des
« Pinochet arabes » et de leurs méthodes barbares plutôt que
d'envisager d'avoir à céder un centimètre de leur monopole[8].

---

7   Robert A. Pape, *Dying to Win. The Strategic Logic of Suicide Terrorism*, Random House, New
     York, 2005. Sur les motivations des candidats à la « mort pour vaincre », voir également le
     très réaliste film *Paradise Now*, de Hani Abou-Hassad (septembre 2005), singulièrement plus
     crédible que de nombreuses tribunes ou enquêtes de certains de nos « journalistes d'investi-
     gation » ou autres « envoyés spéciaux ».
8   Exemple emblématique entre mille, la profession de foi d'Alexandre Adler placée en exergue
     de l'introduction de ce livre. L'un des éditorialistes les plus massivement diffusés de France y
     explicitait sa préférence tranquille pour « des dictatures les plus éclairées possible — voire pas
     éclairées du tout — en Égypte et en Arabie saoudite », plutôt que la victoire des Frères
     musulmans dans des élections libres, qui leur permettraient d'instituer « un Tariq Ramadan
     comme ministre de la Culture » (*Le Figaro*, 6 septembre 2004).

7

De Sayyid Qutb à Mohamed Atta : sectarisme ou contre-violence politique ?

Il est fréquent d'entendre dire que pour les fondateurs d'Al-Qaida, Oussama Ben Laden, et plus encore, Aïman al-Dhawahiri, comme pour nombre de leurs jeunes adeptes, la première référence théorique n'est pas le père du « wahhabisme saoudien », Mohamed Abdelwahhab (1703-1792), ou son lointain inspirateur supposé Taqî al-Dîn Ibn Taymiyya (1263-1328), réputé avoir légitimé le « droit de combattre le gouvernant impie ». C'est bien plutôt l'essayiste puis activiste égyptien, Sayyid Qutb, condamné à mort par Nasser et exécuté le 29 mai 1966. Cette assertion est loin d'être erronée. Qutb est bien celui qui, à l'échelle du siècle écoulé, dans le courant de la seconde temporalité de la réaction islamiste, a donné à celle-ci une partie importante de sa grammaire idéologique. Si évidente soit-elle au premier degré, cette référence envahissante à la théologie qutbienne et à son refus radical de l'univers de la modernité politique est loin d'être pour autant réellement éclairante.

Reste à comprendre en effet exactement la nature et la portée de cette filiation. Pour ce faire, il faut d'abord rappeler dans quel contexte cette référence s'est élaborée. Il faut ensuite se demander si l'on peut y voir la « cause » de la radicalisation d'une partie de la dernière génération islamiste et, partant, l'« origine » d'Al-Qaida, ou bien seulement l'un de ses accessoires rhétoriques. Mohamed Atta, l'un des pilotes suicides du 11 septembre, a-t-il vraiment eu besoin de Sayyid Qutb pour emprunter la voie de la radicalisation ?

La théologie de guerre de Sayyid Qutb et de al-Dhawahiri, ou les fondements politiques d'Al-Qaida

La théologie de guerre, élaborée par Qutb et laissée en héritage à Abdessalam Faraj, puis à Aïman al-Dhawahiri, Ben Laden et la dernière génération des « jihadistes », participe bien évidemment de la compréhension de leur génération. Encore faut-il lui poser les bonnes questions ; ne pas confondre effets et causes, référentiel idéologique et programme politique, exemplarité de la trajectoire de Qutb et « paternité » ou *a fortiori* « causalité » de la radicalisation islamiste. L'éclairage qu'apporte la contextualisation de la radicalisation de Qutb au début des années 1960 est doublement important : il révèle les vrais ressorts de cette radicalisation, plus politiques que sectaires. Chez Qutb, d'une œuvre contrastée étroitement liée aux turbulences de son temps, on n'a en effet retenu aujourd'hui que l'ultime formulation, radicale, de son idéologie et occulté l'itinéraire qui a donné son sens et sa nécessité, voire son urgence, à cette « guerre des mots de Dieu » déclenchée contre les siens. Masqués par les catégories qui expriment la radicalisation de sa pensée, les ressorts humains et politiques de cette radicalisation ont rarement été mis en lumière comme il le faudrait.

La contextualisation de la rupture qutbiste permet ensuite de comprendre que c'est la persistance des mêmes facteurs politiques qui, davantage que sa force idéologique intrinsèque, assure la « validité » de cette rhétorique radicale aux yeux d'une partie des générations suivantes. Elle montre que ce n'est pas la seule force des mots et des formules qui aurait « contaminé » les cerveaux d'une génération, mais bien une identique violence dont, pas plus que Qutb, ils n'ont été abrités, qui les conduit à partager ses convictions.

En effet, la violence qui a nourri la pensée de Qutb est pour l'essentiel la même que celle qui a nourri, vingt ans plus tard, la radicalisation — fort lente au demeurant — de Ben Laden ou, trente ans plus tard, celle de Mohamed Atta. L'histoire réelle laisse peu de place à la thèse d'un repli purement sectaire qui aurait « corrompu » des esprits sains, par les seules vertus néfastes des « opuscules » ayant circulé « par la faute » de la technologie de Gutenberg (déjà dénoncée en son temps) puis, après les cassettes [1], « par la faute » d'Internet, placé aujourd'hui à son tour au cœur de toutes les explications et honoré lui aussi de toutes les responsabilités qu'il ne porte pas. Si les descendants de Qutb trouvent attirantes les catégories de sa « théologie de la libération », c'est avant tout parce qu'ils sont confrontés aux mêmes dénis de représentation et aux mêmes dysfonctionnements politiques nationaux et régionaux que ceux qui ont poussé Qutb à se couper de son monde.

Comme pour Ben Laden ou pour Atta, l'irruption de l'État hébreu et des puissances occidentales dans le jeu politique interne de la région tient une place essentielle dans ce processus. Qutb est contemporain de la création de l'État d'Israël, de la première défaite arabe, de l'expédition tripartite de Suez en 1956. Ben Laden expliquera que c'est en contemplant les images de l'artillerie israélienne canonnant les tours du sud de Beyrouth en 1982 qu'il conçut le projet de frapper un jour de manière semblable l'État hébreu et ses soutiens [2]. La répression, assortie de tortures, et le refus de la politique au profit de la violence par les acteurs étatiques nationaux et étrangers de l'actualité moyenne-orientale sont déjà au cœur de ce processus. Qutb et ses héritiers se sont dressés contre ce qu'ils ont perçu comme l'alliance entre des puissances étrangères à la fois dominatrices et cyniques, discréditées dans leurs valeurs, ayant réussi à soumettre des élites autochtones elles-mêmes manipulatrices et dictatoriales. La répression et la

---

1 Dont tant d'experts ont longtemps voulu croire, et faire croire au monde, qu'elles « expliquaient » la rapidité avec laquelle se déployait la contestation islamiste des années 1990.
2 Oussama BEN LADEN, « Message au peuple américain », novembre 2004.

manipulation de la violence par le pouvoir font déjà partie de cette recette. La « torture inhumaine » — cette torture même que les États-Unis sous-traitent cyniquement jusqu'à aujourd'hui à leurs fidèles alliés égyptiens — subie par Qutb comme par Dhawahiri, côtoyée par Ben Laden et Atta, apparaît bien, en dernière instance, comme l'un des facteurs ultimes de leur radicalisation à la fois sectaire et politique, « théologique » et « stratégique »...

C'est bien Qutb qui donne, à n'en pas douter, au radicalisme politique des fondateurs d'Al-Qaida sa principale ressource théologico-théorique. Jusqu'à ce jour, c'est en paraphrasant ses enseignements, notamment ceux du célèbre *À l'ombre du Coran*, ou de *Jalons sur la piste* [3], rédigé dans les prisons nassériennes, que les salafis « jihadistes » dénoncent la compromission des musulmans avec l'influence occidentale et leur abandon de la norme divine révélée au profit de la norme « païenne ».

Pour Qutb, comme, pour Dhawahiri et Ben Laden, les titulaires du pouvoir ne sont pas coupables seulement de classiques débordements autoritaires profanes. Ils sont accusés avant tout d'être retombés dans l'ignorance préislamique et désignés à la vindicte des croyants pour leur incapacité à respecter la norme divine, cette incapacité « expliquant » leur inconduite politique. La preuve suprême est leur compromission avec cette « laïcité » dont l'essence même est d'organiser la substitution du « droit positif », c'est-à-dire, à leurs yeux, d'une norme d'origine « humaine », à la norme inspirée de la révélation divine, la *charia* et son expression juridique, le *fiqh* [4].

C'est bien cette résolution de rétablir la suprématie de la loi musulmane, expression de la volonté « divine », sur la loi démocratique, expression d'une volonté seulement « humaine », qui sert depuis lors à toute une génération de l'islamisme radical, Oussama Ben Laden en tête, à discréditer son environnement « musulman » — régimes et, plus rarement, sociétés tout entières.

---

3 Voir Gilles KEPEL, *Le Prophète et Pharaon. Les mouvements islamiques dans l'Égypte contemporaine*, La Découverte, Paris, 1984 (rééd. : Seuil, Paris, 1993).

4 Voir Olivier CARRÉ, *Mystique et politique. Le Coran des islamistes, lecture du Coran par Sayyid Qutb, Frère musulman radical (1906-1966)*, Cerf, Paris, 2004.

C'est bien au nom de la lecture faite par Qutb du sens et de la portée de l'occidentalisation du système normatif qu'Aïman al-Dhawahiri, on l'a vu, reproche à Hosni Moubarak et à ses prédécesseurs ce qu'Oussama Ben Laden reproche depuis 1995 au roi Fahd, à savoir de gouverner avec d'autres lois que celles que Dieu a révélées aux hommes. Qutb s'inspire sans doute des textes anti-mongols d'Ibn Taymiyya (1328) et, par extrapolation plus ou moins orthodoxe [5], s'en prend aux dirigeants jugés insuffisamment respectueux de leur religion.

Près de trente années après Qutb, Aïman al-Dhawahiri atteste de la permanence de cette construction rhétorique, qu'il a complètement intériorisée, comme en témoigne son bilan critique, déjà évoqué, de l'action des disciples d'Hassan al-Banna depuis leur création en 1928.

Pour en comprendre la fortune ultérieure, il faut donc rappeler les ressorts politiques de la fabrication de ce langage chez Qutb. Comment le fonctionnaire petit-bourgeois, essayiste brillant et comblé, en est-il arrivé là ? William Shepard a soigneusement retracé les étapes du cheminement intellectuel de Qutb vers la radicalisation [6]. Il l'a fait de façon originale, en comparant les éditions successives de son premier ouvrage, *La Justice sociale dans l'islam*, écrit avant son retour des États-Unis et son « entrée en islamisme ». L'ouvrage a été publié à cinq reprises : en 1949, avant son adhésion aux Frères ; en 1953, avant la prise de pouvoir par les « Officiers libres » et après son adhésion aux Frères ; en 1954, avant la rupture entre les Frères et le pouvoir ; en 1958, après son emprisonnement et l'assassinat de ses compagnons en prison ; et en 1964, alors qu'il vient, en prison, un an avant son exécution, de publier l'emblématique *Jalons sur la route*.

---

5 Yahya Michot, enseignant à la faculté de théologie de l'Université d'Oxford, réfute les interprétations d'Ibn Taymiyya communément admises par les islamistes, notamment celle popularisée par Abdessalam Faraj (voir Yahya MICHOT, *Mardin, hégire, fuite du péché et demeure de l'islam* et *Ibn Taymiya, Mécréance et Pardon*, Al-Bouraq, Beyrouth, 2005).

6 William E. SHEPARD, *Sayyid Qutb and Islamic Activism. A Translation and Critical Analysis of Social Justice in Islam*, E. J. Brill/Leiden, New York/Cologne, 1996.

La dernière édition inclut les vues les plus radicales développées à la fin de sa vie dans *Jalons sur la route*, alors qu'il touchait le fond de l'impasse répressive du nassérisme. Les transformations de sa pensée tout au long de ces seize années révèlent la mécanique du repli sectaire : le théocentrisme s'y accentue, puis l'islamocentrisme. Les influences doctrinales extérieures, notamment celle du Pakistanais Mawdûdî, dont les écrits ont été traduits en arabe pendant les années 1950, y jouent une part non négligeable. La distance se creuse alors avec les politiques de sécularisation et donc d'« occidentalisation » des leaders égyptiens et arabes, auxquelles les oulémas officiels acceptent pourtant d'apporter leur caution. *Last but not least*, c'est la longue expérience de la prison, de l'isolation, des mauvais traitements de toutes sortes et de la torture qui contribue à façonner l'évolution de sa pensée. Qutb a apporté lui-même d'essentiels compléments d'explication, encore peu utilisés dans les analyses occidentales de son discours.

Les ressorts politiques de la rupture qutbiste

Pourquoi m'ont-ils exécuté ? est un texte de Sayyid Qutb publié après sa mort et demeuré assez largement à l'écart de la curiosité des exégètes de l'islamisme radical [7]. Cette autobiographie écrite en prison ne présente pas seulement l'intérêt, anecdotique, d'offrir au détour du titre d'un de ses chapitres — « Le mouvement

---

7 Ce texte est signé le 25 octobre 1965 dans la prison militaire du Caire. Il a depuis été imprimé à maintes reprises sous forme de brochure (80 pages) non datées et sans lieu d'édition. Il est disponible, en langue arabe, sur Internet. C'est notamment dans ce texte, écrit sans doute en réponse à l'interrogatoire des services de sécurité et à leur demande, qu'est datée clairement l'adhésion de Qutb aux Frères musulmans (1953), sujet longuement débattu par ses exégètes habituels. Authentifié, selon son préfacier (anonyme) par l'écriture manuscrite de Qutb, ce texte pourrait toutefois avoir été abrégé de plusieurs paragraphes ou pages, notamment celles décrivant les procédés employés par ses tortionnaires pour le faire parler.
Olivier Carré, le plus averti des lecteurs français de Qutb, en mentionne certes l'existence, mais sans vraiment toutefois l'exploiter (voir Olivier CARRÉ, *Mystique et politique, op. cit.*, p. 23). Voir également : William E. SHEPARD, *Sayyid Qutb and Islamic Activism, op. cit.* ; Ibrahîm ABU RABI', *Intellectual Origins of Islamic Resurgence in the Modern Arab World*, State University of New York Press, New York, 1996.

islamique commence par la base (*al-qaʿîda*) » — une sorte de généalogie à l'expression qui sert à désigner aujourd'hui l'organisation d'Oussama Ben Laden[8]. Elle expose surtout les motifs et les objectifs — la légitime défense d'un mouvement menacé à ses yeux d'extermination violente — de son passage à l'« action directe ». Rédigé au terme de semaines passées à subir cette torture physique si parfaitement absente des « expertises » contemporaines sur le « terrorisme islamique », l'opuscule met en perspective la trajectoire de celui que le régime de Nasser, qui avait échoué à le briser intellectuellement, s'apprêtait à mettre à mort. Le raisonnement de Qutb éclaire moins l'origine « philosophique » ou « théologique » du radicalisme des jihadistes d'aujourd'hui qu'il ne démonte les ressorts profanes de la production de ce radicalisme, soulignant, d'Alger au Caire en passant par Riyad, l'actualité, hélas toujours très contemporaine, de la « machine à fabriquer des poseurs de bombes[9] ».

Petit-bourgeois égyptien, fonctionnaire du ministère de l'Éducation, Sayyid Qutb, envoyé en mission aux États-Unis en 1948, à l'âge de quarante-deux ans, est d'abord un étudiant de l'université du Haut Colorado à Boulder, curieux puis révolté. Selon une trajectoire fréquente, que l'on retrouvera notamment chez Mohamed Atta, c'est sans doute avant tout au contact de cette altérité que s'élabore la prise de conscience de son identité et de tout ce qui, à ses yeux, en menace l'épanouissement dans son environnement national. Son rejet de la société américaine est vraisemblablement accéléré, ou peut-être même provoqué, par le mépris raciste que, au pays des chantres de la démocratie, lui vaut la couleur de sa peau — sa mère étant native de Nubie.

---

8 Au nombre des multiples explications, plus anecdotiques que scientifiques, de cette appellation, on peut ajouter celle qui veut que la dernière épouse de Ben Laden soit native d'un gros bourg yéménite situé au nord de la ville de Taez et baptisé de longue date « Al-Qaida ». Les tisserands d'Al-Qaida fabriquaient encore, il y a peu de temps, des *foutas* (pièces de tissu que les hommes drapent autour de leur taille) ornées du motif d'avions heurtant les tours de Manhattan.

9 Voir François Burgat, « La machine à fabriquer des poseurs de bombes », *Libération*, 30 octobre 1995.

En tout état de cause, il va très vite se démarquer des méandres théologiques des évangélistes américains de la Trinity Episcopal Church qu'il fréquente et, plus encore, du cynisme économique ambiant et de la permissivité morale des Américains, qui contrastent si brutalement avec l'atmosphère de pruderie et la densité du lien social de sa Haute-Égypte natale : « Toutes les représentations des "hypostases" de la Trinité, du péché originel, de la Rédemption, ne font que du mal à la raison et à la conscience ! Et ce capitalisme d'accumulation, de monopoles, d'intérêts usuriers, tout d'avidité ! Et cet individualisme égoïste qui empêche toute solidarité spontanée autre que celle à laquelle obligent les lois ! Cette vue matérialiste, minable, desséchée, de la vie ! Cette liberté bestiale qu'on nommait la "mixité" ! Ce marché d'esclaves nommé "émancipation de la femme", ces ruses et anxiétés d'un système de mariage et de divorce si contraire à la vie naturelle ! Cette discrimination raciale si forte et si féroce [10] ! »

À son retour au Caire en 1950, il n'est encore qu'un essayiste et un éditorialiste prolifique. L'origine de son intérêt pour les Frères musulmans, dont il ignorait l'existence en partant aux États-Unis, est particulièrement révélatrice. C'est la satisfaction évidente de la presse anglo-saxonne face à la répression dont font l'objet les Frères qui lui fait prendre conscience de la portée anti-impérialiste de leur action : « Je ne savais que peu de chose des Frères musulmans jusqu'à ce que je parte aux États-Unis, au printemps de 1948, dans une délégation du ministère de l'Éducation. [...] Je fus frappé par l'intérêt considérable que la presse américaine, mais également la presse britannique diffusée aux États-Unis, manifesta pour les Frères [musulmans] et par cette satisfaction jubilatoire dont ils firent preuve lors de la dissolution de leur association, devant les coups qui leur furent portés et lors de la mort de leur guide. Je réalisais brutalement la menace que représentait cette association pour les intérêts occidentaux dans cette région et pour la culture et la civilisation occidentales ».

---

10 Cité par Olivier Carré et Gérard Michaud, *Les Frères musulmans, op. cit.*

Le nationalisme de Qutb vient alors d'effectuer cette jonction — au cœur de la recette islamiste — avec son appartenance religieuse. La littérature orientaliste de l'époque le conforte dans cet état d'esprit : « Tout cela attira mon regard sur l'importance que revêtait cette association aux yeux des acteurs du sionisme et du colonialisme occidental. » En 1949, c'est lui qui attire l'attention des Frères musulmans, orphelins de leur fondateur Hassan al-Banna qui vient d'être assassiné, bien plus qu'il ne se sent alors attiré par eux : « C'est à cette époque, en 1949, que je publiais *La Justice sociale dans l'islam*, précédé d'une phrase de dédicace [11], [...] où les Frères crurent se reconnaître. [...] Ils virent en l'auteur du livre quelqu'un de sincère à qui ils commencèrent à manifester de l'intérêt. »

Après la révolution de 1952, son hostilité commence à se cristalliser, à mesure que la concurrence entre les Frères et Nasser se fait plus évidente, contre les concessions symboliques, puis politiques, que le régime « laïque » de Nasser fait à ses yeux à l'Occident en combattant ces Frères que lui-même considère comme le meilleur bouclier de sa nation.

Le 26 octobre 1954, dans des conditions obscures — où Qutb est persuadé de voir une manipulation britannique —, une tentative d'assassinat de Nasser est attribuée aux Frères. La descente aux enfers de la répression va dès lors commencer. Les Frères ne sortiront de ce long tunnel que trois ans après la mort de Nasser (1970) [12]. Emprisonné une première fois pour quelques mois seulement, Qutb est très vite incarcéré à nouveau, définitivement cette fois, sous l'accusation d'être le « responsable du département des publications de la branche secrète des Frères », accusation qu'il rejette formellement.

---

11 « À ces jeunes dont j'imaginais qu'ils étaient en train de voir le jour et dont j'ai ensuite découvert qu'ils existaient réellement, luttant dans la voie de Dieu sans craindre pour leurs biens ou pour leur vie. »

12 Une fois n'est pas coutume, une fiction télévisée (britannique) a retracé avec le réalisme nécessaire l'épisode de la répression des Frères pour l'intégrer dans le processus de fabrication de la génération Al-Qaida : Adam Curtis, *The Power of Nightmares. The Shadows in the Caves*, BBC, première diffusion janvier 2005.

De la prison dont il ne sortira plus jusqu'à sa pendaison le 29 août 1966, Qutb va progressivement étendre sa condamnation à tous les opposants et, au nombre de ceux-ci, au courant central des Frères musulmans. C'est dans ce contexte que se produira sa rupture « théologique » avec le tronc central des Frères, dont il va progressivement se démarquer. Dans la longue épreuve de l'isolation et de la torture, le théocentrisme, qui enferme progressivement sa pensée au fur et à mesure qu'elle se radicalise, devient manifeste. Elle le pousse à « idéologiser » de plus en plus nettement les reproches qu'il fait à ses adversaires, dont le nombre, à mesure que se confirme la passivité de la société face au traitement qui lui est infligé, va croissant, jusqu'à englober celle-ci tout entière. Comment le titulaire d'un régime autorisant de telles pratiques répressives peut-il être véritablement musulman, se demande-t-il d'abord ; avant d'élargir jusqu'à l'exclusion sectaire généralisée le champ et la portée de sa condamnation à tous ceux qui tolèrent de tels gouvernants, c'est-à-dire toute la société, qu'il accuse — nous y voilà — de retomber dans l'« ignorance préislamique ».

Plusieurs convictions structurent alors sa lecture de la crise politique égyptienne, dont il est l'une des victimes : les Américains, alliés de l'État hébreu, tentent d'infiltrer la scène égyptienne par le biais du mouvement associatif qu'ils promeuvent. L'un de leurs objectifs est l'élimination des Frères musulmans (dont les brigades de volontaires se sont illustrées lors de la première guerre contre Israël), y compris par des manipulations de l'opinion (des faux tracts attribués aux Frères auraient été distribués par les hommes d'Église). Il soupçonne donc ceux qu'il stigmatise — à l'instar de Ben Laden quarante ans plus tard — comme les « croisés colonialistes » et leurs alliés « sionistes », de semer sciemment la zizanie entre Nasser et les Frères musulmans. Il est convaincu que l'intervention des services britanniques dans la tentative d'assassinat de Nasser n'a été que la première d'une série de manipulations destinées à faire commettre aux Frères la faute qui fournira le prétexte à leur élimination [13].

---

13 « Avec toutes tes connaissances, comment oses-tu dire que [la tentative d'assassinat de Nasser] n'a été qu'une mise en scène », lui demande Salah Dessouki, l'un de ses premiers

La suite des événements justifie ses craintes pour une bonne part : en prison, il est informé d'un projet de rébellion, téléguidé de l'extérieur, qui donnerait un prétexte à l'élimination physique d'un certain nombre de prisonniers au cours de travaux collectifs à l'extérieur de la prison. Le soulèvement est empêché, mais le massacre, lui, a bien lieu. En 1957, témoigne Qutb, dans la prison cairote de Limane, au fond de leurs cellules, vingt et un prisonniers désarmés sont abattus par balles et autant sont blessés. S'ils étaient vraiment en rébellion, souligne-t-il, il aurait suffi, enfermés comme ils l'étaient, de leur couper l'eau pendant vingt-quatre heures pour qu'ils se soumettent...

Qutb ne nie pas, dans ce contexte, avoir participé à l'élaboration d'un plan d'attaque du régime. Mais il le justifie longuement comme la seule riposte envisageable alors à la campagne répressive initiée contre les Frères. Et il en limite les objectifs politiques à ceux de la légitime défense : « Nous étions tombés d'accord pour ne pas utiliser la force pour faire un coup d'État et imposer par le haut un régime islamique. » Il réaffirme en fait à plusieurs reprises son opposition de principe à l'idée d'une « islamisation par le haut [14] », rappelant comment le Prophète a lui-même refusé de devenir le roi de Médine, car il ne voulait pas que l'État puisse être identifié à la religion. « Mais nous étions également tombés d'accord sur le principe d'une riposte proportionnée à l'attaque subie », précise-t-il. « S'offrait à nous le principe énoncé par Dieu : "Celui qui vous agresse, agressez-le de la même manière qu'il a employée contre vous." » Or « l'attaque avait bien eu lieu, en 1954 et en 1957, et avait pris la forme d'arrestations, de torture, d'assassinats, et du déni de toute dignité humaine pendant la torture, puis par la destruction des maisons et l'expulsion à la rue des femmes et des

---

interrogateurs. « Je ne dis pas que c'est une mise en scène, je dis que cela a été monté et qu'un doigt étranger est impliqué dans tout cela. » Au cours de son séjour dans la prison de Tora, il tentera, explique-t-il, d'enquêter sur les circonstances exactes de l'attentat auprès de proches de son auteur, Mahmûd Abdellatif, qui tous lui déclarèrent que l'affaire demeurait parfaitement inexpliquée à leurs yeux.

14 La paternité de la stratégie d'« islamisation par le haut » est très communément attribuée à Qutb pour l'opposer aux tenants d'une islamisation « par le bas », dont il semble en fait ne s'être jamais complètement départi.

enfants. À celle-là, nous avions décidé de ne pas répondre. Mais la question se posait à nouveau face à la nouvelle agression en cours. C'est à celle-là que nous avons décidé de répondre [15] ».

À près de quarante années d'intervalle, *Pourquoi m'ont-ils exécuté ?* montre une proximité forte avec la construction de l'imaginaire politique des émules de Ben Laden. Pas plus que celui du « millionnaire saoudien » en lutte contre la corruption répressive de ses élites princières américanisées, l'imaginaire de Qutb ne s'est nourri de représentations seulement idéologisées et caricaturées de la domination qu'il dénonce : il s'est affirmé face aux dérives bien réelles des systèmes politiques de son temps. De fait, ses craintes très profanes des années 1960 — que ce soit l'évolution de la question palestinienne, la dérive répressive des régimes arabes ou la coordination internationale des politiques « sécuritaires » (c'est-à-dire de répression) — vont se révéler en grande partie fondées.

Les ressorts profanes de la guérilla mondiale lancée contre les États-Unis par Ben Laden et Dhawahiri et adoptée par les jeunes kamikazes du 11 septembre sont le produit d'une conjoncture politique étonnamment proche. En décembre 2004, Ben Laden (après avoir rappelé que son combat ne visait pas encore, à ce jour, les dirigeants saoudiens, mais seulement les occupants américains) a rappelé en ces termes la logique de son combat : « Ce qui se passe maintenant est tout juste une extension de la guerre contre la coalition des croisés, dirigée par l'Amérique, qui mène partout la guerre contre nous. Nous agissons donc de même et cela inclut le pays des deux saintes mosquées. Nous avons l'intention de les expulser de là, si Dieu veut [16]. »

---

15 « Nous ne pouvions répondre par des moyens identiques, l'islam interdisant de torturer ou d'affamer les femmes et les enfants. L'État doit même pourvoir aux besoins des épouses et des enfants de ceux qui sont condamnés à la peine capitale. Nous n'avions donc pas d'autres moyens légaux sur le plan religieux que le meurtre (*qatl*), d'abord pour riposter à l'agression et ne pas laisser ainsi affaiblir le mouvement islamique et ses membres, ensuite pour tenter de sauver [...] le plus grand nombre possible de jeunes musulmans engagés, au sein d'une génération tout entière permissive, dissolue, déviante dans ses comportements et ses attitudes. »

16 Oussama BEN LADEN, « Communiqué aux dirigeants saoudiens », 16 décembre 2004.

Ce discours semble peu compatible avec la problématique d'une « filiation » ou encore moins d'une simple « contamination » idéologique par le « père de l'islamisme radical » : en lieu et titre de filiation, quiconque veut s'approcher un peu sérieusement de l'histoire politique de la région découvre surtout la similitude frappante des circonstances politiques qui ont nourri cette radicalisation.

Aïman al-Dhawahiri entre fracture symbolique et torture physique

Présenté depuis 1998 comme le « numéro deux » d'Al-Qaida, Aïman al-Dhawahiri se considère bien comme l'héritier intellectuel et politique direct de Sayyid Qutb, explique aujourd'hui son ancien rival Montasser Al-Zayyat, ex-membre de l'organisation concurrente Jamaa Islamiyya [17].

Né en 1951, dans le quartier cairote chic et occidentalisé de la rue n° 9 de Maadi, son père est issu d'une famille prestigieuse qui a donné à l'Égypte de nombreuses personnalités religieuses, dont, du côté de son père, un cheikh d'Al-Azhar, et, du côté de sa mère ('Azzam), un leader de confrérie soufi. Diplômé de médecine en 1974, il crée en 1966, l'année de la pendaison de Qutb, qui peut sans doute être considérée comme l'un des premiers catalyseurs de son engagement, un an avant la terrible défaite de juin 1967, sa première Jamaa activiste. En 1980, après l'invasion de l'Afghanistan par les troupes soviétiques, il fait ce que l'on appellerait, s'il n'était pas musulman, un long stage humanitaire dans un hôpital afghan tout en poursuivant ses études de chirurgie.

Revenu en Égypte, il échappe en 1981 à la rafle des 1 500 intellectuels de toutes tendances lancée par Sadate quelques semaines avant son assassinat (6 octobre), mais il est arrêté peu de temps

---

17 Montasser AL-ZAYYAT, *Aiman al-Dhawahiri kamâ 'araftuhu* [Aiman al-Dhawahiri tel que je l'ai connu], Dâr Misr al-Mahrussa, Le Caire, 2002 (traduction anglaise : *The Road to al-Qaeda. The Story of Bin Laden's Right Hand Man*, Pluto Press, Londres, 2004).

après. Sous les terribles séances de torture qui constituent jusqu'à ce jour le droit commun des interrogatoires des policiers égyptiens, il est contraint de révéler tous les noms de ses amis et subordonnés, de participer à leur arrestation[18] et de témoigner contre eux devant le juge. Remis en liberté, sans doute grâce à l'influence de sa puissante famille, il choisit, par le subterfuge d'une excursion touristique de groupe vers la Tunisie, de quitter définitivement l'Égypte pour un second contact avec l'Afghanistan.

Il est vraisemblable qu'il a alors des difficultés à envisager sa réimplantation dans ce milieu militant où, pense-t-il, on condamne cette faiblesse devant la torture que tous n'ont pas eue. Dès lors, plus rien ne le ramènera néanmoins (à la différence de certains leaders de l'organisation concurrente des Jamaa Islamiyya, qui lanceront en 1996 un appel à déposer les armes) hors des sentiers de la révolte armée. Il organisera, depuis Peshawar ou l'Afghanistan, des attaques ponctuelles contre des personnalités politiques égyptiennes. Une répression particulièrement efficace parviendra toutefois à limiter considérablement l'action de son organisation. Paradoxalement, jusqu'en 1998, Dhawahiri lui-même ne sera l'objet d'aucune inculpation du gouvernement égyptien qui, le croyant un temps caché en Suisse, n'a sans doute pas voulu lui donner de prétexte pour obtenir un asile politique.

La conviction, déjà solidement ancrée chez Qutb, qu'une étroite collaboration se développe entre les puissances étrangères (l'ennemi lointain) et le régime national égyptien (l'ennemi proche) est une composante essentielle de son imaginaire politique, qui porte ainsi en germe l'internationalisation ultime de son engagement. « Il est difficile, affirme-t-il, de faire la différence entre le rôle du roi Farouk et celui des Anglais, ou entre celui de Nasser et des Américains (au début de son pouvoir), ou, plus tard, entre celui de Nasser et des Russes. » En avril 1995, dans un article que publie la revue (clandestine) *Al-Mujâhidûn* sous le titre « La

---

18 Il donne ainsi rendez-vous à l'un de ses plus fidèles alliés, l'ex-officier ʿIsâm al-Qamarî, sur la célèbre place (« Kit Kat ») de la banlieue populaire d'Embaba, où il sait que l'attend une souricière tendue par la Sûreté égyptienne.

route de Jérusalem passe par Le Caire », il rappelle toutefois que l'ordre de ses priorités tactiques commence par l'ennemi proche : « Jérusalem ne sera libérée qu'après que seront remportées les batailles du Caire et d'Alger. » Pas question donc de donner la priorité à la lutte palestinienne ou, *a fortiori*, à la lutte contre les soutiens occidentaux de l'État hébreu. Cette vision restera la sienne jusqu'en 1998.

Lorsqu'il en change, pour rejoindre le camp d'Oussama Ben Laden, ses raisons sont sans doute multiples. Sous l'influence de Ben Laden, face aux échecs répétés de sa stratégie égyptienne et à la multiplication des arrestations dans les rangs de son organisation Jihâd, il va se convaincre de changer de tactique et d'adhérer à un front « contre les croisés et les juifs », dont les cibles prioritaires sont les États-Unis et Israël. Ses motivations sont donc au moins en partie « internes » et liées aux terribles séries d'arrestations qui frappent son mouvement, lequel vient de subir des échecs répétés. Mais elles sont aussi largement « externes » : l'interventionnisme croissant des États-Unis dans la région désigne de plus en plus clairement à ses yeux Washington comme le moteur de la répression mondiale du courant islamiste.

Or, loin de la dure conjoncture égyptienne, Ben Laden dispose de moyens financiers importants, et il vient d'obtenir l'appui du régime des talibans, qui contrôlent environ 95 % du territoire afghan. Au début du mois d'août 1998, les revendications anticipées de Dhawahiri, qui « annonce » les attaques contre les ambassades américaines en Tanzanie et au Kenya le 7 du même mois, ont sans doute eu pour objectif, pour Montasser Al-Zayyat, de le « recrédibiliser » sur la scène interne égyptienne, où son mouvement avait en partie perdu pied. Avec la logistique du milliardaire saoudien, il va pouvoir donner à ses ambitions la dimension correspondant à ce qui ressemble plus que jamais à une volonté de vengeance, en écho aux accusations que le jeune médecin avait, derrière les barreaux le séparant de la salle d'audience, hurlé à la face des journalistes venus du monde entier assister à son procès cairote de 1982 : « Nous avons subi des traitements inhumains. Ils nous ont battus, frappés, ils nous ont fouettés avec des câbles électriques. Ils nous ont envoyé des décharges électriques ! Ils nous ont envoyé des décharges électriques ! Et ils ont utilisé des chiens sauvages ! Et ils ont utilisé des chiens sauvages ! Et ils nous ont accrochés aux portes, les mains liées dans le dos ! Et ils ont arrêté les femmes, les mères, les pères, les sœurs, et les fils ! Alors, où est la démocratie ? Où est la liberté ? Où sont les droits de l'homme ? Où est la justice ? Où est la justice ? Nous n'oublierons jamais ! Nous n'oublierons jamais [19] ! »

Ben Laden et les preuves (profanes) du non-respect de la loi (divine)

> « Les hydrocarbures du Golfe persique et le manque d'une alternative américaine sérieuse dans le domaine énergétique sont au centre de l'affaire Ben Laden. Pour du pétrole bon marché et facile d'accès, Washington et l'Occident ont soutenu les tyrans musulmans que Ben Laden et d'autres cherchent à abattre. »
>
> Michael SCHEUER, 2004 [20].

Au prisme du regard médiatique ou académique occidental, Ben Laden est d'abord et presque exclusivement le « prédicateur » qui vitupère les princes oublieux de la règle divine, les travers des « sionistes », des « croisés » et autres « mécréants ». L'itinéraire de l'acteur politique qu'il est aussi est bien moins connu. Pour quelles raisons l'ex-étudiant privilégié, un temps amateur de *punting* sur la Tamise d'Oxford ou joueur exercé de volley-ball, une fois devenu entrepreneur comblé, a-t-il abandonné le confort de sa prodigieuse richesse [21] ? Pourquoi a-t-il préféré aux dividendes de la

---

19 Rapporté par Laurence WRIGHT, « The man behind Bin Laden », *The New Yorker*, 16 septembre 2002 ; cité par Stéphane LACROIX, *in Al-Qaida dans le texte, op. cit.*, p. 228 ; voir également *Le Livre noir : la torture des musulmans sous la présidence d'Hosni Mubarak*, rédigé ultérieurement par Dhawahiri et disponible sur Internet (*Al-Kitâb al-asswad Qissat ta'dhib al muslimîn fi ahd Husni Mubârak*).

20 Michael SCHEUER, *Imperial Hubris, op. cit.*

21 Au cours de l'été 1971, Ben Laden a fait un stage de langue anglaise dans un institut d'Oxford et pratiqué l'un des passe-temps nautiques favoris des étudiants. Il est également décrit par certains de ceux qui l'ont côtoyé en Afghanistan comme un adepte du volley-ball. L'une de ses meilleures biographies a été écrite par Jonathan RANDAL, *Oussama : la fabrication d'un terroriste*, Albin Michel, Paris, 2004. Ses prises de parole ou ses écrits (dont les entretiens donnés à CNN ou au journaliste britannique Robert Fisk) sont assez facilement disponibles

collaboration mutuellement profitable avec les princes saoudiens les aléas de l'exil oppositionnel et de la guérilla dans les montagnes arides de l'Afghanistan ? On connaît fort mal le long préalable parfaitement légaliste de sa révolte politique, la liste de ses multiples tentatives d'infléchir pacifiquement la politique du régime de Riyad avant de se décider à combattre par les armes non point ce régime en tant que tel, mais ses soutiens américains [22], et les raisons qui l'ont amené ensuite à s'en prendre, selon sa propre formule, « aux États-Unis plutôt qu'à la Suède ». Bref, si la rhétorique de Ben Laden semble au premier abord l'enfermer dans le ghetto de son sectarisme religieux, peu d'analystes tentent sérieusement de considérer son itinéraire dans toute sa complexité.

À partir de 1993, le régime saoudien, qui avait concédé en 1992 un timide infléchissement de son autoritarisme, et accepté de créer un « conseil consultatif » dont les membres étaient prudemment... nommés par ses soins, se replie sur une solution seulement répressive [23]. Les arrestations préventives ne se limitent pas

---

en langue anglaise sur Internet. Les versions arabes sont assez régulièrement détruites. Après le 11 septembre, les enregistrements de ses communiqués étaient vendus dans les rues de Sanaa, jusqu'à ce que l'ambassade des États-Unis obtienne l'interdiction de leur vente publique.

Les traductions des communiqués doivent bien sûr être recoupées prudemment. Il n'est pas impensable en effet que de fausses déclarations, comme certaines des *fetwas* ordonnant de s'en prendre spécifiquement aux chiites et attribuées à Abu Mus'ab al-Zarqawi (nom de guerre d'un militant jordanien considéré comme l'un des leaders de la résistance sunnite en Irak, réputé avoir fait allégeance à Ben Laden), soient mises en circulation par tous ceux qui, en Irak, aux États-Unis ou au Proche-Orient, souhaitent diviser ou discréditer la résistance irakienne. Le niveau d'excellence atteint dans ce domaine par les services secrets algériens, avec l'aide de certains de leurs homologues étrangers, pour criminaliser leurs opposants doit donc être constamment gardé en mémoire.

22 L'un des textes les plus éclairants à ce sujet est sans doute la « Lettre au cheikh Ibn Baz », datée de décembre 1994. Ibn Baz était l'un des grands oulémas saoudiens (1912-1999), référence des salafis et néanmoins auteur de diverses adresses critiquant Ben Laden et de toutes sortes de cautions données aux titulaires saoudiens du pouvoir. Le texte de la lettre montre que, jusqu'en décembre 1994, la stratégie de Ben Laden à l'égard des oulémas saoudiens proches du régime était restée sur le registre de la critique courtoise et de la demande de réformes plus que de la confrontation. Dans son dernier communiqué de décembre 2004, Ben Laden a précisé par ailleurs que le combat de ses partisans en Arabie était limité aux intérêts américains : « Les moudjahiddines, dans le pays des saintes mosquées, n'ont pas encore commencé la lutte contre le gouvernement. S'ils l'entreprennent, ils commenceront indubitablement avec la tête de la mécréance, c'est-à-dire les gouvernants de Riyad. »

23 Mamoun FANDY, *Saudi Arabia and the Politics of Dissent, op. cit.* ; Madawi AL-RASHEED et Robert VITALIS, *Counter-Narratives. History, Contemporary Society and Politics in Saudi Arabia and*

aux anciens membres des maquis afghans, arrêtés dès leur retour, à la fin des années 1980, et systématiquement torturés, parfois jusqu'à la mort. Elles englobent aussi les contestataires les plus modérés, condamnés à de lourdes peines de prison et eux aussi torturés. C'est dans ce contexte que Ben Laden — que les pressions américaines viennent de réussir à faire expulser du Soudan — va expliciter et radicaliser son offensive contre le régime qui lui a retiré sa nationalité saoudienne.

En 1995 — alors que ni son appel à chasser les États-Unis de la Péninsule n'a été lancé (1996) ni la création du « Front islamique mondial » (1998) annoncée —, il publie la première de ses nombreuses adresses oppositionnelles au roi Fahd. Ces textes présentent un double intérêt. Ils livrent d'abord les clefs de lecture de l'articulation entre les composantes « théologique » et « politique » du différend qui l'oppose au régime et à ses protecteurs-spoliateurs étrangers ; ils permettent ensuite d'entrevoir, pour qui veut bien faire l'effort de passer derrière le voile de cette « théologie de la contestation », la matrice fondamentalement politique de sa radicalisation.

La « Lettre à Abu Rughal[24] », adressée en 1995 par Ben Laden au roi Fahd d'Arabie saoudite, où l'essentiel est dit, contient un long inventaire documenté et argumenté des atteintes portées par le monarque « à Dieu et l'islam, à la terre de l'islam et les musulmans, à la ville sainte de La Mecque et à la communauté des musulmans ». Avec une particulière insistance, Ben Laden y affirme d'abord classiquement le primat religieux et théologique de ses demandes, qui sont alors encore largement de l'ordre du réformisme. S'il recense une première fois ses griefs politiques à

Yemen, Palgrave, New York, 2004 ; Madawi AL-RASHEED, *A History of Saudi Arabia*, Cambridge University Press, Cambridge, 2002.

24 Comme Fahd, aux yeux de Ben Laden, introduisit en 1990 un roi étranger mécréant (le père de George Bush) sur le territoire des Lieux saints de l'islam, Abu Rughal sert de guide à Abraha, un roi mécréant, lorsque celui-ci conduisit une attaque avortée contre La Mecque de Mohammed vers 670. Sa tombe passe pour avoir été longtemps lapidée. Ben Laden se réfère fréquemment à cette lettre au roi Fahd (à distinguer d'un « communiqué aux dirigeants saoudiens » diffusé le 16 décembre 2004 par le site <Jihâd Unspun>) comme le « communiqué n° 17 ».

l'égard du monarque (« l'oppression politique qui frappe toutes les élites, [...] la corruption, la dilapidation des richesses »), c'est pour mieux affirmer que c'est bien l'atteinte portée aux fondements de la religion qu'il entend condamner en priorité.

Tout aussi classiquement, sa démonstration s'appuie sur des références coraniques, explicitées par les exégèses des oulémas. Elle rappelle surtout l'obligation faite aux gouvernants de s'appuyer sur les lois révélées et la disqualification des « faux croyants » qui, en lieu et place des révélations successives, prennent le *tâghût* — faux dieu, idole et démon dans le lexique coranique — comme référence[25]. Pour l'essentiel, elle reprend l'argumentation adoptée par Qutb pour justifier la déchéance du régime nassérien : le monarque saoudien porte atteinte au principe de l'unicité de Dieu, car il laisse les législations séculières, humaines, considérées comme mécréantes et d'inspiration étrangère, prendre la place de la référence divine. Ainsi le royaume, en tant que membre du Conseil de coopération du Golfe, accepte-t-il de se soumettre aux décisions d'une juridiction internationale. Or les décisions de cette juridiction sont fondées sur un corpus de références dont la hiérarchie est la « Constitution du Conseil de coopération, le droit international, les normes internationales et les principes de la loi islamique ». Voilà bien la preuve, s'enflamme Ben Laden, du peu de cas qui est fait de la loi divine, classée au dernier rang des références du royaume. Une fois établie la nature religieuse des manquements du monarque, il passe à l'inventaire de ce qui n'apparaît à ses yeux que comme des conséquences logiques (tant il est vrai qu'un « bâton tordu ne peut produire une ombre droite ») de ces manquements à la règle divine. Beaucoup plus prosaïquement, il énumère alors ces conséquences politiques, sociales et économiques, toutes parfaitement profanes.

---

25 « N'as-tu pas vu ceux qui prétendent croire à ce qu'on a fait descendre vers toi [Prophète] et à ce qu'on a fait descendre avant toi ? Ils veulent prendre pour juge le taghût, alors que c'est en lui qu'on leur a commandé de ne pas croire. Mais le Diable veut les égarer très loin dans l'égarement » (Coran, sourate des femmes, 61).

La première conséquence de l'abandon de la référence religieuse par les dirigeants saoudiens est, à ses yeux, le caractère très éclectique et, en tout état de cause, très peu « islamique » des ressorts de la diplomatie du royaume. L'argument souligne ce que trop d'analystes en chambre de l'Arabie saoudite, pressés de dénoncer le « fondamentalisme » des princes, ne prennent pas le temps de remarquer, à savoir les limites d'une explication « islamique » de la politique étrangère du royaume pétrolier. Il accuse précisément le roi Fahd d'avoir successivement financé ou armé de nombreux combattants fort peu « islamiques » : la minorité « alaouite » (*nusayrī*) au pouvoir à Damas, l'année même, en 1982, où celle-ci avait écrasé à l'arme lourde le soulèvement de la ville de Hama, « assassinant des dizaines de milliers de musulmans » ; les phalanges maronites chrétiennes alors en lutte contre les « musulmans libanais » ; la guérilla chrétienne du Sud-Soudan contre le régime islamique du Nord ; le « vieil ami Saddam Hussein », financé à concurrence de 25 milliards de dollars, alors qu'il combattait la révolution iranienne ; le régime algérien, « qui combat l'islam et broie les musulmans sous sa botte » ; les « communistes » du Sud-Yémen lors de la guerre civile de 1994, qui venait alors de prendre fin.

« L'affaire du Yémen, poursuit-il, a montré combien votre soutien aux combattants afghans n'avait rien à voir avec la cause de l'islam : il était seulement destiné à protéger des intérêts occidentaux menacés par une possible victoire soviétique. » « Car sinon, poursuit-il implacablement, un communiste afghan n'étant pas différent d'un communiste yéménite, [...] comment pouvez-vous justifier que vous souteniez conjointement les musulmans contre les communistes en Afghanistan et les communistes contre les musulmans au Yémen ? [...] On ne peut comprendre cette contradiction si on ne sait pas que vos politiques vous sont en fait dictées par le monde des croisés occidentaux à qui vous avez lié votre destin. »

La démonstration se déplace ensuite sur le terrain économique et entend répondre à l'interrogation que chacun, dans le royaume et à travers le monde, se pose alors. Sachant que le royaume avait, à la fin des années 1980, accumulé des réserves de près de 140 milliards de dollars et disposait de revenus quotidiens de près de 100 millions de dollars, comment, demande-t-il, a-t-il pu devenir en 1995 l'un des pays les plus endettés de la région ? Pourquoi ses systèmes éducatif et de santé sont-ils surpeuplés, sous-équipés et en crise, 150 000 de ses jeunes diplômés au chômage, la précarité économique le seul horizon de nombreuses familles ? « Mais où est donc passé tout cet argent ? », insiste Ben Laden. Dans les dépenses somptuaires de la famille royale d'abord. Le narrateur « ne sait » sur ce terrain « par où commencer l'énumération des palais et autres demeures qui barrent l'horizon dans le royaume et partout ailleurs dans le monde ». Le coût de ces palais, dont la cour d'un seul « pourrait contenir l'État de Bahrein tout entier[26] », se mesure « en milliers de millions de dollars ». À l'heure où les gouverneurs des provinces prônent les économies d'énergie, ils demeurent de surcroît illuminés jour et nuit.

Le cœur du réquisitoire n'est toutefois pas là, mais dans les termes d'une transaction léonine avec les « partenaires » occidentaux du royaume : l'aide véritable apportée à l'Occident n'est pas seulement le financement ponctuel de ses divers appétits géopolitiques : le royaume est pressuré par deux autres dispositifs particulièrement pervers. Le premier est celui des contrats d'armements, complètement disproportionnés avec les besoins et les ressources humaines de l'armée saoudienne, argumente Ben Laden. Le pourcentage du budget de l'État consacré à la défense par l'Arabie saoudite est de près de 30 %, rappelle-t-il, sans équivalent à l'échelle de la planète. Or les contrats ne sont pas conclus en fonction des besoins techniques de l'armée, mais « pour créer des revenus pour les princes au pouvoir », qui prélèvent jusqu'à 60 % du montant des transactions, et pour offrir des « compensations » personnalisées aux chefs d'État (américain et britannique : « Boeing pour faire réélire Clinton », « Tornados pour remercier Major », etc.) qui « aident à rester au pouvoir ». Les seuls résultats de ces dépenses sont « des piles d'armements sans aucune ressource humaine pour

---

26 Communiqué au régime saoudien, décembre 2004.

les utiliser [...] et des bases militaires immenses qui se révèlent en fait destinées aux forces étrangères ».

La guerre du Golfe en 1991 a fait que cette « coopération » militaro-financière a, en quelque sorte, changé d'échelle. Les forces de la coalition constituée contre l'Irak autour des États-Unis « ont trouvé l'occasion de leur vie de vous faire chanter et d'exploiter vos peurs et votre couardise ». « Ils ont insisté pour vous faire payer la quasi-totalité des dépenses de la guerre, [...] soit 60 milliards de dollars, dont 30 sont allés dans les poches des États-Unis et à peu près 15 dans celle des autres alliés. [...] Le reste a été dépensé en commissions, marchés et autres pots-de-vin. » « Le bilan de la guerre du Golfe, juge encore Ben Laden, en dit long sur l'efficacité de la politique d'armement. [...] L'aviation [saoudienne], qui disposait de cinq cents appareils, ne fut capable d'abattre que deux appareils irakiens privés de protection aérienne. La marine, malgré ses trente vaisseaux, dont vingt étaient dotés de lance-missiles, n'a pas fait feu une seule fois. L'armée de terre n'a pas fait mieux : le pays a dû importer des techniciens du Pakistan pour réussir à mettre sur pied une seule division d'infanterie blindée. » La fin de la guerre n'a pourtant pas mis un terme à cette coûteuse dérive : « Après la guerre, votre solidarité envers la coalition vous a conduits à conclure de nouveaux contrats à leur avantage, d'un montant de plus de 40 milliards de dollars pour les seuls Américains. »

Cette longue liste de gaspillage et « des folles dépenses liées à la présence des forces alliées durant la guerre du Golfe » est pourtant loin de clore le contentieux : reste le pire. Argumentés implacablement, chiffres de la Banque mondiale à l'appui, l'inventaire et l'examen des conséquences de la « détérioration des prix du pétrole » conduit à une terrible évidence : l'Arabie ne s'est ruinée que parce que ses dirigeants ont payé — au prix fort — le privilège d'être... occupés militairement. Ils paient encore plus cher le droit de continuer à plaire à leurs protecteurs et de bénéficier dès lors de leur protection en faisant à leur intention une sorte de hara-kiri financier permanent : tout en accélérant le rythme d'épuisement de leurs réserves, les princes apeurés concourent activement à organiser la surproduction qui réduit la valeur financière de leur produit, retournant ainsi un formidable pourcentage de leurs recettes à leurs protecteurs. « Même si l'Ouest prend soin de ne pas tuer la poule qui fait des œufs d'or noir, il prend grand soin à ce que le prix de ces œufs soit le plus bas possible. » Pour Ben Laden, écrit-il en 1995, le royaume est ainsi victime du « plus grand hold-up de l'histoire ».

La charge est-elle si outrancière que cela ? La posture de l'« islamiste radical saoudien » est-elle la seule à aboutir à d'aussi accablants diagnostics ? Rien n'est moins sûr. Les statistiques les plus officielles et les expertises les plus éloignées des cercles « terroristes » incitent à penser que tout n'est pas imaginaire dans cette démonstration, tant s'en faut : « Nous payons le pétrole au prix du marché. Mais ce prix est fondé sur l'offre et la demande : en augmentant l'offre, les Saoudiens maintiennent les prix bas », reconnaissait en 2003 Robert Baer, un haut fonctionnaire de la CIA. « C'est quelque chose qu'ils paient de leur poche. Nous ne leur avons jamais remboursé cette capacité de surproduction que nous avions imaginée dans les années 1960 et 1970. Lorsqu'ils nationalisèrent l'Aramco, ils continuèrent à payer pour ça. On ne peut donc pas dire purement et simplement que "ces types ont toujours été contre nous", ou que "la famille royale a lancé les extrémistes wahhabites contre l'Occident" [27]. »

À l'heure où l'islamiste Ben Laden formulait ses terribles accusations, un citoyen français, Jean-Michel Foulquier (pseudonyme d'un ambassadeur en poste durant plusieurs années dans la capitale du royaume saoudien), était arrivé à une conclusion parfaitement identique, si ce n'est qu'il l'avait alors formulée en des termes moins théologiques. Concluant une impitoyable description de la nature de la relation entre les États-Unis et le royaume saoudien, il avait comparé celle-ci (« tu payes et je te protège ») à celle qui unit... un souteneur et une prostituée [28].

---

27 Interview de Robert BAER, *The Atlantic*, 29 mai 2003 (cité par Pascal Ménoret dans la version anglaise de *L'Énigme saoudienne*, Zed Books, Londres, 2005).
28 Jean-Michel FOULQUIER, *La Dictature protégée*, Albin Michel, Paris, 1995.

« Je crois que les motivations des terroristes sont avant tout de nature politique », concluait pour sa part l'expert américain de la CIA. « Et le plus tôt nous cesserons d'intervenir au Moyen-Orient, le mieux nous pourrons faire une trêve avec le terrorisme[29]. » Le message a-t-il été entendu ? Rien n'est moins sûr. « Je crois qu'ils ne pompent pas à fond », déclarait, au printemps 2005, le président Bush avant de recevoir dans son ranch le prince héritier Abdallah et... d'obtenir un nouveau relèvement de la production du royaume pour tenter de rétablir un prix plus avantageux. La démarche fut sans succès, une fois n'est pas coutume, mais pour des raisons plus liées à l'inefficacité de la seule bonne volonté saoudienne qu'à sa remise en cause.

Sans sortir, il est vrai, du cadre de la pensée islamique la plus classique, qui accordait toute sa place au raisonnement logique profane, Ben Laden est bien sorti du registre strictement religieux pour évoluer sur celui du « rationnel[30] ». L'analyse profane, politique, économique et financière, une fois rappelé son rang dans la rhétorique religieuse, occupe même dans sa rhétorique une place déterminante que trop d'observateurs tardent pourtant à vouloir considérer.

Mohamed Atta, ou la trajectoire meurtrière d'un pilote du 11 septembre

La biographie de Mohamed Atta, est tout aussi parlante. Sa trajectoire militante d'adulte — bien plus brève, puisqu'il est né le 1er septembre 1968 (au Caire) et mourra à l'âge de trente-trois ans — s'inscrit presque tout entière dans la troisième temporalité

---

29 Interview citée de Robert BAER.
30 Dès le XIVᵉ siècle, la pensée islamique classique distinguait, au sein de la sphère religieuse, le « rationnel » du « confessionnel ». Ibn Taymiyyah dissociait ainsi ce qu'il nommait les « trois niveaux » — « rationnel, confessionnel et légal » — du religieux : « Par le rationnel (*aqli*), on veut dire ce sur quoi les adeptes de la raison sont d'accord, parmi les fils d'Adam, qu'il leur ait été fait présent d'un Livre ou non » (textes spirituels d'Ibn Taymiyya, *Raison, confession, loi : une typologie musulmane du religieux*, présentés et traduits de l'arabe par Yahya Michot, <www.muslimphilosophy.com>).

de l'islamisme. La vie de celui qui pilotait le premier des deux Bœings 767 qui s'écrasèrent sur le World Trade Center de New York, le 11 septembre 2001, a été reconstituée avec minutie par de nombreux enquêteurs [31]. La matrice identitaire de son « entrée en islamisme » est particulièrement facile à mettre en évidence. Les jalons sur la piste de sa radicalisation le sont tout autant.

Atta ne vient pas lui non plus d'un milieu démuni, mais de l'univers de la petite bourgeoisie urbaine égyptienne. Son père est juriste, ses sœurs ont fait, comme lui, des études supérieures. Il a le privilège d'étudier à l'étranger. Architecte de formation, il est membre de ce syndicat des ingénieurs égyptiens dont le courant islamiste a pris le contrôle au début des années 1990. Au Caire, il dénonce classiquement l'atmosphère répressive et la propension du régime à criminaliser avec le soutien occidental le courant islamiste en particulier, et toute forme d'opposition politique en général. Le projet du président Moubarak de porter atteinte à l'intégrité de la vieille ville du Caire — en y créant ce que Atta considère comme une sorte de Disneyland islamique pour touristes étrangers — le révolte tout autant.

Lorsque, depuis l'université de Hambourg, il se rend en 1995 en Syrie pour y faire le premier « terrain » de son diplôme d'urbanisme, il se dit choqué par le fait que les expressions architecturales de la culture occidentale dominent celles de sa culture musulmane. Tout porte à penser que son austérité piétiste émerge ensuite, pour une part au moins, à l'instar de celle de Qutb lors de son séjour aux États-Unis, au repoussoir de la « permissivité » de la société allemande [32]. L'aliénation culturelle, la révolte devant le long cortège des injustices internationales, l'écart immense de richesse entre son Égypte natale chaotique et l'opulente fonctionnalité allemande, la soumission de régimes à la fois illégitimes et répressifs aux exigences américaines de toute sorte vont donner à

---

31 Voir notamment Jason BURKE, *Al-Qaida. La véritable histoire de l'islam radical*, La Découverte, Paris, 2005 ; ou Yosri FOUDA et Nick FIELDING, *Les Cerveaux du terrorisme, op. cit.*

32 Chez Atta, à la différence notoire de Ben Laden ou d'autres membres de son groupe, elle va jusqu'à une évidente misogynie, que certains ont cru pouvoir expliquer par une homosexualité refoulée.

Mohamed Atta la détermination glacée de « Abû 'Abd al-Rahmân al-Misrî », le nom de guerre qu'il va, à l'instar de ses tous ses homologues d'Al-Qaida, se donner au moment de son engagement.

Les composantes de la plus classique alchimie islamiste sont réunies. C'est le 11 avril 1996, à Hambourg, dans la petite mosquée de Steindamm, un mois après le sommet de Charm el-Cheikh (13 mars) contre le terrorisme islamique, que Mohamed Atta semble avoir pris la décision de « passer à l'action directe » — et de le faire au péril de sa propre vie, en rédigeant un testament très détaillé prouvant qu'il envisage de mourir. Le soin qu'il met à définir le traitement qui devra être réservé à sa dépouille montre qu'il sait alors qu'il va mourir, mais pas encore que ce sera aux commandes d'un engin chargé de milliers de litres de kérosène.

Les quatre figures emblématiques d'Al-Qaida dont nous venons d'évoquer rapidement les trajectoires ont évolué dans des conjonctures historiques et territoriales différentes : Sayyid Qutb, l'ancêtre politique et idéologique, et Aïman al-Dhawahiri, l'héritier politique direct de Qutb, tous deux passés par le moule de la torture physique ; Oussama Ben Laden, l'initiateur de la mondialisation de la résistance ; et Mohamed Atta, l'un de ses plus résolus exécutants. Ce sont pourtant des déterminations et des imaginaires politiques très comparables qui les ont poussés à formuler ou à adopter les catégories et les stratégies de la rupture qutbiste.

Qutb a conceptualisé et idéologisé les raisons de sa rupture avec un environnement politique qu'il considérait comme illégitime, car soumis à la tutelle étrangère, et dont il avait, sous la torture, pris la mesure de l'autoritarisme. Dhawahiri a pris son relais, aussi bien sur le terrain idéologique que politique. Comme Qutb (et à la différence de Ben Laden et de Atta), son itinéraire est façonné par la torture physique. Comme Qutb, il se construit en rupture non seulement avec le régime, mais aussi avec la majeure partie de la première génération islamiste de ses opposants. C'est lui qui parachève l'élaboration de l'argumentaire théologique légitimant la rupture avec les Frères musulmans, accusés d'avoir fait des concessions inacceptables à l'univers symbolique occidental, importé par les régimes laïques, dont il entend se démarquer le plus littéralement.

Ben Laden trouvera pour sa part cette rhétorique prête à l'emploi et il n'y apportera aucune dimension idéologique majeure. Il lui apportera en revanche une logistique politique et guerrière sans commune mesure avec celle que Qutb et Dhawahiri étaient parvenus à mobiliser, ainsi qu'une connaissance de première main des désordres nés de l'interventionnisme américain dans la Péninsule arabique.

Atta arrive en scène lorsque la matrice idéologique et la logistique politique de la rébellion sont toutes deux élaborées et parfaitement fonctionnelles. Son imaginaire politique, exacerbé par un contact direct avec l'Occident — qui a marqué également Qutb et Ben Laden —, est particulièrement nourri des dérives interventionnistes américaine et israélienne, et donc au cœur de la logique inhérente à la troisième temporalité de l'islamisme. L'évolution du monde au cours de la décennie 1990, de la Palestine à l'Irak, semble avoir conforté les analyses de Qutb quarante années plus tôt et cautionné le radicalisme de ses catégories de rupture. Atta, à travers Dhawahiri et Qutb, voyant les « siens » confronté à une violence politique comparable à celle qu'a subie et dénoncée Qutb, deviendra ainsi, à quarante années d'intervalle, son meilleur soldat, portant pour la première fois, au prix de la mort de près de 3 000 innocents, le feu de la guerre jusqu'au cœur symbolique de l'Occident.

8

Des peurs héritées aux peurs exploitées : la guerre des représentations

« Tous ces pays, vont-ils évoluer vers la démocratie ou bien continuer... à parler arabe entre eux ? »

Un haut fonctionnaire français
en charge du dialogue euro-arabe, 1990 [1].

« Cela a dû vous aider de parler le français, la langue de la démocratie ! »

Un célèbre critique littéraire de la télévision française, s'adressant en 2002 à l'une des égéries du courant « éradicateur » algérien.

« Peut-il être des nôtres, celui qui refuse de boire son verre comme les autres ? »

D'après une chanson populaire française

« La plupart de musulmans ne sont pas des fondamentalistes et la plupart des fondamentalistes ne sont pas des terroristes, mais la plupart des terroristes actuels sont musulmans et se revendiquent fièrement comme tels. »

Bernard Lewis, 2003 [2].

Quiconque, en Occident, veut se faire une idée rationnelle de l'islamisme doit surmonter deux obstacles. Le premier est constitué de l'accumulation des peurs inconscientes, « héritées », à l'égard de ce vieux voisin-ennemi musulman à qui,

---

1 Il s'adressait aux intervenants d'un colloque sur les relations euro-maghrébines, en tant que responsable de l'une des principales initiatives onusiennes de rapprochement Nord-Sud en Méditerranée.
2 Bernard Lewis, *The Crisis of Islam*, Weidenfeld and Nicholson, Londres, 2003, p. 107.

dans l'alchimie de notre construction identitaire, revient le rôle essentiel de nous dire qui nous sommes. Le second, plus trivial mais non moins efficace, est celui des stratégies délibérées de tous ceux qui, en Occident ou dans le monde musulman, ont des raisons de se sentir menacés dans leurs privilèges du moment et intérêt à instrumentaliser ces peurs plus qu'à les combattre.

Quiconque parvient de nos jours à faire passer celui qui lui résiste pour un « islamiste » sait en effet que les peurs et les ignorances de l'Autre deviendront *ipso facto* ses plus précieux alliés. La maîtrise des flux d'information étant au cœur de la guerre économique et politique, les partis pris de manipulation de l'actualité, la préférence pour les instantanés qui choquent au détriment des rappels historiques qui expliquent sont trop souvent la règle. Ceux qui, consciemment ou non, recourent à ces procédés dans les médias et dans la sphère politique n'ont pas de peine à mobiliser des peurs irrationnelles très profondément inscrites dans les imaginaires.

Depuis les années 1980, ce double mécanisme a pleinement fonctionné dans la production des représentations de la « question islamiste » au sein des sociétés du « Nord » (essentiellement, en l'espèce, celles de l'Europe et de l'Amérique du Nord). Mais c'est sans doute en France qu'il a pris le tour le plus caricatural : de toutes les puissances occidentales, la France est en effet la seule où l'ancienneté singulière du rapport à l'Autre musulman — partagée essentiellement avec l'Espagne depuis l'époque des croisades — a été redoublée par la plus longue colonisation d'une terre musulmane, l'Algérie, dominée de 1830 à 1962. C'est pourquoi, dans ce chapitre consacré à la « guerre des représentations », dans le monde occidental, du phénomène islamiste, nous allons nous appuyer surtout sur l'expérience française.

Les peurs... héritées

Identifier l'origine de ces peurs héritées pour avoir une chance de les surmonter exige de rappeler le statut de cette « culture de l'Autre » qu'est l'islam et son rôle dans la construction de notre identité. La difficulté à accepter l'émergence d'un lexique alternatif à celui que nous avions inconsciemment érigé comme le seul à pouvoir exprimer l'universel semble être, on va le voir, au cœur de notre complaisance à l'égard de toutes sortes de fausses pistes analytiques.

L'islam vu depuis la France est ainsi avant tout le marqueur identitaire de la « culture de l'Autre » et donc de l'Autre tout court. Parler de l'islam, établir une relation avec lui, c'est donc, par excellence, parler de l'Autre ou communiquer avec lui. Or parler de l'Autre, on le sait, au moins depuis Hegel, c'est à bien des égards parler de soi. C'est l'Autre qui nous dit « qui nous sommes », quelle place nous occupons dans l'espace et, pour beaucoup, quel rôle nous y jouons. L'identité n'existe qu'au contact de l'altérité. C'est le second arrivé au sommet de la montagne ou sur les rivages de l'île déserte qui détermine la composante dominante de l'ego du premier occupant, mâle ou femelle, noir ou blanc, intellectuel ou manuel, gros ou maigre, etc. C'est de l'Autre que dépendent les termes de notre « relativité » et c'est donc sur ou contre lui que repose notre « identité ». Même si celui qui me rejoint dans l'île déserte est originaire de mon village, je trouverai le trait qui le spécifie et me permettra d'exister dans ma nécessaire unicité.

Dans le cas de la relation à l'islam en France, la propension de l'Autre à affecter l'équilibre interne toujours fragile de notre ego est d'autant plus forte qu'il ne s'agit pas de « n'importe quel autre ». Cet Autre-là ne vient pas de la planète Mars, n'évolue pas dans un contexte vierge de représentations. Il est tout au contraire majoritairement originaire (au niveau des représentations, mais également, pour une fois, à celui des statistiques) d'une Afrique du Nord doublement proche, par l'étroitesse du détroit de Gibraltar comme par une histoire très largement commune à défaut d'avoir été véritablement « partagée ». De ce long tête-à-tête, jalonné de Sarrasins et de croisés, de colons et de « fellaghas », de rapatriés et d'immigrés, ne témoignent pas seulement les événements avec leurs blessures, pas toujours cicatrisées, ou les transferts en tous genres, techniques ou linguistiques, mais également les fantasmes, répulsions et autres phobies.

Significativement, la relation à la culture de l'Autre dans sa version extrême-orientale ou bouddhiste dont, quelque part, l'usage est tout aussi nécessaire pour déterminer les frontières du territoire identitaire, est moins traumatisante qu'elle ne l'est avec le voisin arabo-musulman. Au cœur du verdoyant Morvan, sur le chemin qui le conduit à un Centre de formation des imams (à Château-Chinon) dont la création en 1989 a nourri tant de fantasmes médiatiques, le visiteur étonné a pu longtemps découvrir un temple bouddhiste dont les ors et l'écarlate de la façade accentuaient l'exotisme tonitruant de l'architecture. Contrairement à la plus petite mosquée de nos banlieues, ce temple d'une autre « religion de l'Autre » a pu jouir du silence approbateur des sourcilleux gardiens de notre identité nationale.

L'Autre musulman ne vient pas non plus du Viêt-nam, que la tempête coloniale a pourtant lui aussi traversé, à l'instar de l'Algérie, mais dont l'éloignement obscurcit le souvenir et dissout l'appréhension. Dans le temps comme dans l'espace, le musulman nous est en fait doublement (trop) proche. Or c'est précisément « lorsque la différence vient à manquer que la violence menace », a judicieusement fait remarquer le philosophe René Girard. Trop proche, ce voisin l'est tout autant sur le terrain de la référence religieuse, puisque, pour une bonne part, nous revendiquons des écritures partagées et des figures bibliques et coraniques communes. Notre « vieux » et « trop proche » voisin est donc logiquement l'acteur le plus direct de la construction de notre identité collective, dans ses diverses strates linguistiques (ses références ne sont pas latines), ethniques (il ne veut pas des Gaulois ni des Francs comme ancêtres) et bien sûr religieuses (son ultime Prophète nous est méconnu et il refuse par-dessus tout le *nec plus ultra* « laïque » de notre modernité hexagonale). C'est à l'aune du Sarrasin ou du Maure que s'est construite une partie de l'identité ethnique et politique française, à celle du mahométan que — sans oublier tout de même nos propres guerres de religions — nous avons voulu être chrétiens d'abord, européens ou occidentaux ensuite et, enfin, dans le cas très particulier de l'identité française, laïques.

Sur ce même registre spatial s'inscrit le traumatisme de la reterritorialisation ultime de la rencontre entre voisins. La perception de l'islam se construit certes, encore, pour une part sur le territoire de l'Autre, par le biais — on y reviendra — de ces « informations » qui traversent si rapidement mais si mal les mers ; mais elle se fait de plus en plus souvent dans l'« intimité » de nos espaces publics, au sein de notre propre société. Nous ne plantons plus nos cathédrales sur les collines d'Afrique : nous découvrons avec stupeur des mosquées dans nos proches banlieues. Nous ne sommes plus « accueillis » chez l'Autre, mais, écho prévisible du tourbillon colonial d'abord, produit délibéré de nos stratégies industrialistes ensuite, c'est l'Autre qui est aujourd'hui chez nous. La précieuse distance est plus encore abolie. Enfin, même si elle est aujourd'hui en pleine diversification, pas seulement grâce au footballeur Zinedine Zidane, la première génération des musulmans de France comprend à ce jour plus de travailleurs manuels que de représentants de l'intelligentsia scientifique ou artistique, ce qui a peut-être privé l'« islam » d'une partie de la capacité de communication que requièrent les peurs et autres malentendus suscités par son affirmation au nord de la Méditerranée.

L'islam est la culture du plus proche de nos voisins à l'heure où le formidable déséquilibre né de la relation coloniale se résorbe, fût-ce très lentement, au bénéfice de la rive sud et donc « au détriment » relatif de la rive nord. En 1930, année de l'apogée coloniale, l'« islam des colonies », pourtant déjà « culture de l'Autre voisin proche », pourtant déjà implanté en France, trouble moins de consciences que ne le fera, dès les années 1980, l'« islam des banlieues ». L'identité nationale de la France s'accommode alors tout à fait de l'islam folklorisé de la grande exposition coloniale du « centenaire de la conquête de l'Algérie ». Le Prophète Mohamed a-t-il depuis lors changé de message ? Certes non. Mais les adeptes de la religion de l'Autre se sont irrésistiblement extirpés de la configuration coloniale. Ils refusent de n'être que l'un des accessoires exotiques de notre centralité culturelle. Le « temps béni » d'une relation unilatérale avec « nos colonies » n'est plus. En ce début de XXIᵉ siècle, aussi inégalitaire soit-elle demeurée, la relation entre les deux rives laisse au Nord le sentiment diffus et pas totalement infondé que l'époque heureuse de sa séculaire hégémonie politique et symbolique est derrière lui.

Le désenchantement de l'Hexagone n'est pas seulement le résultat de la fin du rassurant paradigme colonial. Le triomphe de la rationalité économique a certes, en matière de développement, montré son formidable potentiel quantitatif. Mais il a peu à peu laissé entrevoir également ses contradictions et ses limites qualitatives : coût social et écologique élevé, affaiblissement du lien social, perte de repères éthiques. La crise, masquée un temps par les paillettes du progrès technologique, s'exacerbe aujourd'hui au rythme du tassement des courbes de la croissance, du redressement de celles du chômage, de la quête de pistes sectaires hasardeuses de réenchantement du monde.

Si elle est à l'évidence accentuée par le caractère « allogène » du vecteur humain de la « nouvelle religion [3] », la tension née de l'affirmation de l'islam, participe donc, pour une bonne part, de celle que provoquerait toute affirmation religieuse, quelle qu'elle soit, dans une société qui est en fait, *stricto sensu*, bien moins chrétienne que déchristianisée et bien moins « laïque » qu'en perte de sens religieux. Derrière l'étendard de la laïcité, c'est l'étiolement de la superficie de la sphère religieuse davantage que sa séparation de la sphère publique qui a marqué le siècle des héritiers de Jules Ferry. Sur ce terrain, la « tension islamique » exprime dès lors moins la concurrence de deux révélations, que l'agacement résultant de ce qui peut apparaître — lexique religieux oblige — comme une demande de spiritualité dans une société qui se fait fort d'avoir résolu la question de la demande sociale de sacré. Tout autant que de son statut de « religion de l'Autre », l'islam doit donc surmonter la réticence que nourrit son statut de religion tout court.

---

3 On considérera que les « Gaulois musulmans », « Français de souche » convertis à l'islam, ne jouent encore pour l'heure qu'un rôle marginal dans sa représentation.

Au second rang seulement, mais alimentée elle aussi par le dynamisme de son *alter ego* oriental, se profile la veille tension purement religieuse du conflit entre les dogmes, elle aussi exacerbée par leur extrême proximité. À y bien regarder, et à en croire « leur » Coran, les musulmans ne sont-ils pas des chrétiens revêtus d'une « couche » supplémentaire de prophétie ?

Les peurs exploitées ou la représentation de l'islamisme au piège du politique

Les peurs héritées d'un long tête-à-tête conflictuel ne sont pas toujours combattues comme elles devraient l'être : elles sont fréquemment alimentées, très sciemment, par tous ceux qui y trouvent leur compte politique. Le succès de la lecture irrationnelle et criminalisante de la génération islamiste est ainsi le produit de variables psychologiques ou psychanalytiques plus ou moins inconscientes ; mais il est plus encore le fruit de stratégies délibérées, d'autant plus efficaces qu'elles se trouvent être celles d'une conjonction d'acteurs étatiques particulièrement puissants. Outre les « ennemis historiques » de l'Autre musulman, on trouve, au premier rang de ceux-ci, tous les régimes arabes en mal d'assise populaire, c'est-à-dire l'immense majorité d'entre eux.

La légitimité internationale de ces équipes discréditées tend à se réduire à leur talent à criminaliser toute alternative à leur règne. Les dictateurs arabes ont adopté ainsi depuis le début des années 1980 et, de manière plus caricaturale encore, depuis le 11 septembre, une stratégie de communication qui consiste, pour capter à leur profit les dividendes des peurs occidentales, à exporter une image démonisée de leurs oppositions islamistes. Et peu importe qu'ils aient en fait très largement contribué à radicaliser ces oppositions — jusqu'à, dans certains cas (comme en Algérie, on va y revenir), s'y substituer purement et simplement, par de terribles manipulations de la violence, massacrant leurs opposants au nom de ceux-ci. Pourvu qu'on veuille bien conforter son ignorance et ses craintes, le public occidental est prêt à reconnaître à « ceux qui luttent contre les intégristes » le mono-pole de représentation des valeurs universelles et à faire d'eux ses uniques interlocuteurs légitimes.

Mais les dictatures arabes ne sont pas les seules à jouer de ce registre. Les stratèges israéliens, forts de leur formidable capacité médiatique dans l'Occident tout entier, ont ainsi très vite compris l'ampleur des ressources qu'il y avait à tirer de l'affaiblissement de l'OLP et de la poussée consécutive, au sein de la résistance palesti-nienne, de la génération islamiste du Hamas. La Russie, qui avait échoué à le faire en Afghanistan, est venue, dès le début du conflit tchétchène, et avec le succès que l'on sait, grossir les rangs de tous ceux pour qui la peur irraisonnée de l'Autre islamiste est devenue source de légitimité plus que de tracas.

Le 11 septembre et la « benladenisation » des oppositions poli-tiques « musulmanes » à laquelle il a donné lieu ont levé les dernières réserves et balayé les ultimes nuances. « Jamais », depuis cette date, résume l'opposant tunisien Moncef Marzouki, « les dictateurs ne se sont aussi bien portés ». L'image de l'Autre n'est plus aujourd'hui le produit d'une stratégie de connaissance destinée le cas échéant à surmonter des peurs irraisonnées : elle est devenue l'enjeu de stratégies de pouvoir particulièrement cyniques où, d'Alger à Washington en passant par Tel-Aviv, les généraux et les « experts » de toutes nationalités et de toutes reli-gions rivalisent de talent.

Cette dérive reçoit, il est vrai, un appui substantiel de la frange du courant islamiste qui mérite vraiment le qualificatif d'extré-miste et contribue par ses discours et ses actions à crédibiliser les pires manipulations et les pires fantasmes occidentaux, renvoyant toute volonté de contextualisation et toute exigence de vérité au rayon de la naïveté et de la candeur, voire de la compromission. L'existence de cette frange obtuse et la menace terroriste qu'elle représente constituent assurément des défis majeurs, qui doivent être affrontés, avec la force du droit. Mais ces défis ne doivent pas faire oublier celui, d'un autre ordre, que constitue la capacité éton-nante de cette minorité extrémiste à confisquer l'entière visibilité médiatique du processus de réislamisation. Ce tour de passe-passe a toutefois une explication : les ambitions des radicaux de cette mouvance à la lumière médiatique sont d'autant plus facilement satisfaites qu'elles reçoivent le soutien de tous ceux qui ont intérêt à ce que la frange la plus répulsive de leurs adversaires politiques occulte la modération de la large majorité d'entre eux. Alors qu'il lui est si difficile de se familiariser avec les visages des porte-parole des composantes modérées du paysage islamiste, le télé-spectateur européen n'ignore pas une nuance des délires conquérants de la frange la plus répulsive du « Londonistan » isla-miste, dont les représentants sont traqués dans les médias aux heures de grande écoute, grâce à la sagacité terriblement sélective de leurs « envoyés spéciaux ».

Dans l'emblématique cas algérien, les contre-performances avérées de ces « envoyés spéciaux » et autres « journalistes d'inves-tigation » montrent l'ampleur de la distorsion que laissent systé-matiquement s'instaurer ceux qui se parent si volontiers des vertus de l'objectivité et de la volonté d'informer « en toute indépendance ».

Intoxication et désinformation : le cas d'école de l'« islamisme radical » algérien

En ces temps de fortes turbulences « islamiques », l'information factuelle que nous recevons du monde musulman se devrait d'être aussi scrupuleuse que possible. L'exemple emblématique de la guerre civile algérienne montre à quel point cela est loin d'être le cas. S'il fallait en effet désigner, bien avant l'électrochoc du 11 septembre 2001, ceux des messages médiatiques qui, depuis dix années, ont le plus marqué le subconscient des Français et des Européens, dans leur relation à la religion musulmane, ce sont, sans grand risque d'erreur, les horreurs attribuées aux « terroristes islamistes » de l'interminable guerre civile algérienne que l'on retiendrait.

Année après année, depuis l'annulation par la junte algérienne, en janvier 1992, des élections gagnées par le Front islamique du salut, combien de milliers d'images télévisées, de débats ou de tribunes, de brèves ou de caricatures, dans les radios ou dans les quotidiens, ne leur ont-elles pas été consacrées ? Une énergie considérable, et bien légitime, a été mobilisée pour dénoncer les responsables de l'élimination programmée des « intellectuels laïques », des assassinats successifs d'étrangers vivants en Algérie, du détournement spectaculaire de l'« Airbus d'Alger », des bombes aveugles du métro parisien, des crimes atroces dont furent victimes des religieuses, un évêque, des moines, des sportifs, des chanteurs, des écrivains, des artistes. Combien de fois n'avons-nous pas été exaspérés par cette façon terrifiante — c'est le cas de le dire — dont chacun de nos repères humanistes était, un à un, impitoyablement touché par des tueurs maniaques qui signaient de surcroît leurs forfaits par des communiqués particulièrement provocants ? Que dire du sort de centaines de villageois, femmes et enfants sans défense, massacrés à l'arme blanche au fond de la nuit ?

Cette page d'histoire, il est pour l'essentiel devenu possible de l'écrire et donc, peut-être, de la tourner. Depuis plusieurs années, ordonnant une longue série d'indices, des révélations parfaitement convergentes ont confirmé ce qu'il n'avait été longtemps possible d'énoncer que sur le registre de l'hypothèse[4]. Elles ont permis une avancée décisive dans la connaissance d'un épisode particulièrement trouble de notre relation récente avec l'« islam radical ». Mais curieusement, au fur et à mesure que leur précision et leur importance augmentaient, l'attention accordée à ces témoignages, qui répondaient pourtant à la double quête de savoir des proches des victimes et de l'opinion mondiale, est allée... décroissant. Après l'émoi suscité début 2001 par les premières révélations de l'ex-lieutenant Habib Souaïdia[5], celles de l'ex-colonel Mohammed Samraoui, les premières pourtant à venir de

---

4 Voir notamment François Gèze et Salima Mellah, « Crimes contre l'humanité », postface à l'ouvrage de Nesroulah Yous, *Qui a tué à Bentalha ? Algérie, chronique d'un massacre annoncé*, La Découverte, Paris, 2000, p. 281 *et sq.*

5 Habib Souaïdia, *La Sale Guerre*, La Découverte, Paris, 2001.

l'intérieur des services secrets de l'armée algérienne, n'ont suscité qu'un écho particulièrement limité[6].

Et lorsque, en 2004, dans *Françalgérie, crimes et mensonges d'États*, les journalistes Lounis Aggoun et Jean-Baptiste Rivoire, au terme d'une collecte particulièrement riche[7], ont étalé les preuves de l'implication massive et systématique de l'armée, confirmant à quel point, insoupçonné jusqu'alors, la stigmatisation unilatérale des « terroristes islamistes » était éloignée de la réalité, le silence médiatique et politique est devenu particulièrement troublant. Hormis les officines imperturbables de la propagande algéroise commises pour les discréditer, et leurs relais habituels dans l'Hexagone ou en Europe, aucune dépêche de l'agence nationale de presse n'a cru ainsi devoir en informer ses abonnés français. Pratiquement aucun titre majeur, quotidien ou hebdomadaire, n'y a fait référence[8]. Aucune télévision, hormis France 3, n'en a seulement mentionné l'existence. Que confirmaient donc ces témoignages patiemment collectés, qu'il était devenu si difficile d'entendre ?

Tout simplement que, depuis le début des années 1990, le régime militaire algérien, derrière la façade pseudo-pluraliste d'élections massivement truquées, ne s'est pas véritablement soucié de combattre la frange extrémiste du courant islamiste. Des preuves irréfutables montrent non seulement que, après l'avoir protégée, il l'a systématiquement instrumentalisée, mais aussi que, dans de très nombreux cas, particulièrement exemplaires, il s'y est substitué purement et simplement : avec leurs « groupes islamiques de l'armée », pilotés d'abord, fabriqués ensuite, dans les officines des services secrets (le DRS), les généraux d'Alger ont notamment organisé les assassinats barbares, « au nom de l'islam », aussi bien de leurs opposants que de leurs propres alliés

---

6 Mohammed SAMRAOUI, *Chroniques des années de sang. Comment les services secrets ont manipulé les groupes islamistes*, Denoël, Paris, 2003.

7 Lounis AGGOUN et Jean-Baptiste RIVOIRE, *Françalgérie : crimes et mensonges d'États*, La Découverte, Paris, 2004.

8 Honorables exceptions : *Le Canard enchaîné*, *Les Inrockuptibles*, *Libération* ou *Politis* (voir Lounis AGGOUN, « Omerta sur un livre ou la presse française à la sauce bananière », *Le Croquant*, n° 43, octobre 2004, p. 110-114).

« laïques ». Pour discréditer aux yeux du monde toute opposition légaliste et déplacer sur le seul terrain sécuritaire un combat politique qu'elle savait complètement perdu, la junte a fait des atrocités des « GIA » son principal mode d'action et de communication [9]. Dès 1991, avant même l'apparition des premiers « Groupes islamiques de l'armée », les leaders d'une première et fugitive excroissance radicale du courant islamiste apparue à la fin des années 1980 (le Mouvement islamique armé, MIA), après avoir été dûment amnistiés à la demande des officines du pouvoir, se virent équipés par celles-ci de « véhicules de service »...

Selon l'un des universitaires qui ont cru pouvoir trouver dans leur étude une clef de lecture de la crise algérienne, les tracts du GIA étaient rédigés « dans une sorte de langue de bois religieuse qui n'a rien à envier à celle des groupes occidentaux marxisants de naguère ». « Quelle perspicacité ! », ironise l'ex-colonel Samraoui en commentant ces conclusions dans son livre : « Les tracts du GIA [étaient en effet] rédigés par des officiers du DRS dont les responsables ont été formés à Moscou, Prague ou Berlin avant la chute du Mur. » Dès 1991, « les premiers tracts appelant à la conquête du pouvoir par les armes, précise-t-il, sortaient, en fait, de la caserne Antar de Ben-Aknoun, siège du Centre principal des opérations (CPO)... Quant aux fameuses "listes noires" [des intellectuels à abattre] attribuées aux islamistes, elles avaient été élaborées au centre Ghermoul, siège de la Direction du contre-espionnage (DCE). Ce sont les capitaines Omar Merabet, Saïd Lerari (dit Saoud) et Azzedine Aouis, qui ont rédigé ces tracts, que les éléments de la "section de protection" et les chauffeurs de la DCE glissaient dans les boîtes aux lettres des intéressés [10] ».

En Algérie, les intellectuels laïques ne furent pas longs à convaincre — de gré ou à force de voir assassiner leurs pairs « par

---

9 L'étude la plus complète et la mieux documentée à ce jour sur la manipulation des groupes armés islamistes par les services secrets algériens est celle de la journaliste Salima MELLAH, *Le Mouvement islamiste algérien entre autonomie et manipulation*, CJA/TPP, <www.algerie-tpp.org/tpp/pdf/dossier_19_mvt_islamiste.pdf>.

10 Mohammed SAMRAOUI, *Chroniques des années de sang, op. cit.*, p. 94.

les intégristes » — de la nécessité de relayer avec zèle la rhétorique de la junte. En France et dans le monde, les généraux
devaient en revanche prévenir toute réaction d'hostilité face à
l'escamotage des urnes et à la partie émergée, déjà impression-
nante, de l'iceberg de la répression « anti-intégriste ». Pour ce faire,
il fallait maintenir les cerveaux dans un état proche de la
« tétanie ». Les services algériens firent preuve sur ce terrain d'une
réelle virtuosité. Depuis le début, presque tous les tristement
célèbres « émirs du GIA » ne furent en fait que des épouvantails
aux mains des services. Il est aujourd'hui acquis qu'Ali Touchent,
le donneur d'ordre et le manipulateur des auteurs des attentats du
métro Saint-Michel en 1995, a disparu... dans une caserne de la
sécurité algérienne où il a été attesté qu'il avait, de longue date,
ses habitudes et où aucun de nos « journalistes d'investigation »
ne s'est jamais soucié d'aller le débusquer.

Les architectes de cette terrible « machine de mort [11] »
pouvaient, il est vrai, s'appuyer sur une longue tradition de coopération avec leurs homologues français [12]. Pour ne citer qu'un
exemple, l'alliance fonctionnera au point que — pour justifier une
vaste campagne d'arrestations qui allait permettre d'exiler au
Burkina-Faso, en août 1994, les principaux leaders de l'opposition
algérienne réfugiés en France —, services français et services algériens organisèrent à l'automne 1993 le faux enlèvement, par des
« terroristes intégristes » de leurs amis, de trois fonctionnaires
français en poste au consulat d'Alger.

---

11 Salah-Eddine Sidhoum et Algeria-Watch, *Algérie, la machine de mort. Un rapport sur la torture,
les centres de détentions secrets et l'organisation de la machine de mort*, octobre 2003,
<www.algeria-watch.org>.

12 Une coopération confirmée dans ses Mémoires par l'ancien patron de la DST, Yves Bonnet,
qui évoque en ces termes sa rencontre avec Smaïn Lamari, lequel deviendra à partir de 1992
l'un des principaux organisateurs de la torture et des assassinats de masse : « C'est dans la
discrétion luxueuse du Crillon que je rencontre pour la première fois, à l'automne 1984,
l'inséparable duo que forment le colonel Lakhal Ayat et le commandant Smaïn Lamari. Ce
sont les premiers contacts entre services algériens et français depuis l'indépendance, et nous
trouvons d'emblée les mots qui rapprochent, cette connivence qu'il ne faudra jamais
oublier. [...] Nous scellons une alliance, [...] nous engageons une amitié [...]. Jamais une
liaison n'aura été développée avec autant de célérité » (Yves Bonnet, *Contre-espionnage.
Mémoires d'un patron de la DST*, Calmann-Lévy, Paris, 2000, p. 339).

Bon nombre d'hommes politiques et de journalistes mais, tout autant, un grand nombre d'universitaires et d'intellectuels de renom prêtèrent (et, pour certains, continuent à prêter) un soutien inconditionnel à cette formidable entreprise d'intoxication. D'aucuns, croyant s'engager dans une lutte légitime contre l'obscurantisme, le firent par naïveté et méconnaissance et, au nom de la lutte pour la laïcité, paraphrasèrent avec entrain les communiqués de la Sécurité militaire algérienne. Pour d'autres, il semble que la générosité permise par le montant des recettes pétrolières des généraux ait contribué à balayer, avec les exigences de prudence, toute considération éthique ou morale.

Si difficile qu'il soit de rendre aujourd'hui sa part de violence à « César », il devrait être pourtant urgent de le faire. Et d'y mettre la même ardeur médiatique que certains ont consacrée à l'attribuer à « Allah » ou à ses représentants autoproclamés.

La guerre des représentations et la faillite de la médiation intellectuelle : quelle « vérité » ?

Face aux dérives de la sphère médiatique et politique, l'autonomie de la sphère académique pourrait permettre un rééquilibrage salutaire. Elle est pourtant loin d'afficher des performances significativement supérieures à celles des médias et de la classe politique. Cette faillite est toutefois moins liée à la faiblesse intrinsèque de la génération des chercheurs « néo-orientalistes » qu'au fait que leur travail n'accède à l'opinion publique que de façon extrêmement sélective. Dès lors que le monde musulman est l'un des enjeux de la connaissance, l'espace médiatique reproduit fidèlement les rapports de forces politiques de la scène régionale et internationale. Il accueille en revanche sans réserve les représentants d'une composante très spécifique de l'intelligentsia, à la frontière de l'appartenance académique. Sa production a pour caractéristique de ne jamais heurter le sens commun.

Pierre Bourdieu, pour mettre à nu les ressorts de la désinformation sévissant sur la guerre civile algérienne, a magnifiquement déconstruit le (dys)fonctionnement de cette catégorie de média-teurs à ambition scientifique en créant à leur intention, en 1998, la catégorie d'« intellectuel négatif [13] ». Tout autant que la plupart des témoignages journalistiques, une bonne part des intellectuels étaient alors demeurés silencieux sur l'essentiel, c'est-à-dire sur l'ampleur de la manipulation de la violence par le pouvoir mili-taire [14]. C'est dans ce contexte que Pierre Bourdieu dénonça ceux qui, à ses yeux, alliaient « l'avant-garde littéraire — en simili — à l'arrière-garde politique authentique ». Ceux-là n'avaient pas seulement choisi le silence complice, mais bien l'engagement objectif au service de la junte. Bernard-Henri Lévy et André Glucksmann, partie émergée d'un système particulièrement effi-cient, ont contribué avec une rare conviction à occulter l'ampleur de l'implication des militaires dans les plus effroyables des massacres collectifs de civils. Guidés d'un bout à l'autre par les collaborateurs du régime au cours d'un fugitif déplacement en Algérie, les deux « philosophes » français, dont la « perspicacité » fut louée par la presse algérienne [15], se crurent suffisamment informés pour cautionner solennellement les thèses parfaitement unilatérales de leurs hôtes militaires.

---

13   Pierre BOURDIEU, « L'intellectuel négatif », *loc. cit.*

14   Voir notamment Lounis AGGOUN et Jean-Baptiste RIVOIRE, *Françalgérie : crimes et mensonges d'États, op. cit.* Sur un autre modèle de la relation pervertie entre environnement occidental et régime illégitime, voir Jean-Michel FOULQUIER, *Arabie saoudite, la dictature protégée, op. cit.*

15   Mais aussi par l'un des plus sanguinaires généraux algérien, le général Khaled Nezzar, qui déclara dans le quotidien *El-Watan* : « Ils ont par leur courage fait connaître la vérité. » Et il a assuré « ces hommes de courage et de conviction » de « son plus grand respect » et de sa « plus haute considération » (cité par Jean-Pierre TUQUOI, « Les succès de communication du pouvoir algérien », *Le Monde*, 20 février 1998).
        « BHL » commentera néanmoins avec aplomb la réédition de son étonnant « reportage » algérien dans un livre publié en 2004 et (fort lucidement) titré *Récidives* : « Il y a le risque de se tromper. Il y a le risque, quand vous republiez des textes comme ces reportages de 1992 [en fait 1998], en Algérie, de la réfutation rétrospective. Bon. C'est comme ça. Je ne retire rien, aujourd'hui, à l'analyse de fond selon laquelle les islamistes étaient responsables des massacres. Même si j'ai tendance, avec le recul, à penser que j'ai peut-être sous-estimé la possible instrumentalisation de ces islamistes par le pouvoir militaire » (Bernard-Henri LÉVY, « Vous pouvez dire la vérité à un barbare, il ne sera pas moins barbare », entretien avec Annette LÉVY-WILLARD, *Libération*, 24 avril 2004). Sur le réseau d'influence médiatique de B.-H. Lévy, voir notamment Serge HALIMI, « Cela dure depuis vingt-cinq ans », *Le Monde diplomatique*, décembre 2003.

Les frontières de l'islam peuvent-elles être scientifiquement qualifiées de « sanglantes », comme a cru pouvoir l'écrire, pour sa part, l'essayiste américain Samuel Huntington ? Sous la plume de quelqu'un dont l'aire (chrétienne) de civilisation a tout de même initié, plus ou moins directement, les modes de christianisation et de peuplement (ou peut-être faudrait-il dire de... dépeuplement) de l'Amérique du Sud avant de faire de même dans celle du Nord, l'essentiel de la traite négrière vers les Amériques ensuite, l'expansion des empires coloniaux européens, capitaliste ou communiste, en Afrique et en Asie, du IIIe Reich nazi enfin, la stigmatisation des modes de diffusion de la religion musulmane, dont les « performances » attestées dans ce domaine (de la traite négrière à l'expansion militaire) sont incontestablement plus modestes, l'appréciation laisse rêveur sur la scientificité de la démarche qui la fonde. Sauf à reconnaître la « supériorité » des performances occidentales du seul siècle écoulé (des camps d'extermination du nazisme à ceux du communisme en passant par le terrorisme du sionisme à sa naissance, et ceux de l'ETA ou de l'IRA), le recours aux facilités de la violence apparaît dans le meilleur des cas comme le moins mal réparti des outils politiques de la domination. Tel est le principe analytique que l'intellect devrait conduire à réaffirmer fortement aujourd'hui, dans une conjoncture où le camp du plus fort tente de masquer ses responsabilités derrière de dangereuses explications culturalistes. Tel n'est malheureusement pas le cas.

Edward Saïd a bien résumé la logique de fonctionnement de cette mobilisation pernicieuse de savoirs approximatifs, trop souvent amputés de la connaissance sociologique du terroir humain qu'ils prétendent expliquer au monde. « Actuellement, les librairies [...] sont remplies de volumes épais aux titres tapageurs évoquant le lien entre "islam et terrorisme", l'"islam mis à nu", la "menace arabe" et autre "complot musulman", écrits par des polémistes politiques prétendant tirer leurs informations d'experts ayant soi-disant pénétré l'âme de ces étranges peuplades orientales. Ces bellicistes ont bénéficié du renfort des chaînes de télévision [...], ainsi que d'une myriade de radios évangélistes et conservatrices, de tabloïds et même de journaux respectables, tous occupés à recycler les mêmes généralités invérifiables afin de mobiliser l'"Amérique" contre les démons étrangers. Sans cette impression soigneusement entretenue que ces peuplades lointaines ne sont pas comme "nous" et n'acceptent pas "nos" valeurs, clichés qui constituent l'essence du dogme orientaliste, la guerre n'aurait pas pu être déclenchée. Tous les puissants se sont entourés de tels chercheurs à leur solde, les conquérants hollandais de la Malaisie et de l'Indonésie, les armées britanniques en Inde, en Mésopotamie, en Égypte et en Afrique de l'Ouest, les contingents français en Indochine et en Afrique du Nord. Ceux qui conseillent le Pentagone et la Maison-Blanche usent des mêmes clichés, des mêmes stéréotypes méprisants, des mêmes justifications pour l'utilisation de la puissance et de la violence [16]. »

Dès lors qu'il s'agit de parler de l'Autre musulman, la liste est longue de ces prestations douteuses diffusées aux heures de grande écoute. Entre mille, arrêtons-nous sur un exemple français particulièrement emblématique ; et formons le souhait qu'il fasse un jour, avec le recul du temps, l'objet d'un audit professionnel, scientifique et politique, serein et approfondi [17]. Au cours d'une émission phare d'une chaîne publique de télévision, cinq « poids lourds » de la scène intellectuelle, médiatique et politique (dont les deux modèles d'« intellectuels négatifs » identifiés par Pierre Bourdieu) contribuèrent à mettre sur orbite, un soir de l'année 1993, une version parfaitement unilatérale de la guerre civile algérienne. Pendant soixante minutes, nos héros de l'analyse, de la pensée et de l'action politiques prêtèrent sans réserve leur talent et leur stature à celle qu'ils nous présentèrent comme une courageuse militante algérienne des droits de la femme, Khalida Messaoudi. Il fallait alors un certain degré de naïveté et d'ignorance (ou de cynisme ?) pour ne pas savoir que celle que Pierre Bourdieu

---

16 Edward SAÏD, *Culture et impérialisme*, Fayard/*Le Monde diplomatique*, Paris, 2000.
17 À l'image du remarquable travail de décryptage du discours télévisuel français sur l'islam depuis trente ans conduit (non sur cette émission particulière, mais sur bien d'autres de la même veine) par Thomas DELTOMBE, *L'Islam imaginaire. La construction médiatique de l'islamophobie en France, 1975-2005*, La Découverte, Paris, 2005.

décrirait bientôt comme la « passionaria des éradicateurs » était en fait au cœur du dispositif médiatico-policier que la junte algérienne avait mis au point pour masquer une opération d'élimination physique de ses opposants politiques — auprès de laquelle, devant l'histoire, l'opération Condor des militaires sud-américains des années 1970 allait faire pâle figure. Depuis lors, la part respective de l'engagement de Khalida Messaoudi au service des droits des femmes et des privilèges des « Pinochet » algériens s'est explicitée, les services rendus à ceux-ci lui ayant valu, en 2002, un poste ministériel [18]. Peu de temps avant sa nomination, en Kabylie, des manifestants auxquels elle tentait de se joindre, pour montrer qu'ils n'ignoraient rien de la nature de ses relations avec le pouvoir, l'avaient expulsée aux cris de « Khalida Lewinsky [19] ».

Il n'empêche. L'émission phare de la chaîne française de service public — à laquelle feront écho les années suivantes plusieurs soirées thématiques de sa consœur franco-allemande Arte, mobilisant écrivains et artistes algériens et français — s'appelait tout de même « L'heure de vérité ». Ces pseudo-analyses ne portent pas seulement atteinte à la crédibilité de la production intellectuelle : à force de médiatisation, elles nourrissent le terrible mécanisme des « prophéties autoréalisatrices ». Mensonges factuels et raccourcis analytiques ne font pas que tromper leur auditoire occidental de destination. Ils contribuent aussi à radicaliser ceux qu'ils s'efforcent de criminaliser, discréditant par avance dans leurs rangs (ou dans ceux de leurs challengers), toute posture de modération. Et lorsque, inexorablement, la boucle se referme, les hérauts du pire, face à la violence qu'ils ont participé à fabriquer,

---

18 Ainsi, il est vrai, qu'un doctorat *honoris causa* que crut devoir lui attribuer en 1998 l'Université de Louvain-la-Neuve, démontrant, s'il en était besoin, l'excellence des capacités de communication des officines de la junte ou la naïveté désolante de certains des responsables d'une grande institution universitaire. Voir notamment Abbas Aroua, *Horroris Causa : le féminisme à l'heure de la Sainte éradication*, Hoggar, Genève, 2002. « Khalida Messaoudi, dont ce cahier essaie de brosser le portrait, écrit Pierre Guillard, a été avec d'autres le moteur, irresponsable mais terrifiant, de la mort de beaucoup d'hommes et du bâillonnement des femmes. Elle a fait le vieux pari que l'Occident, par la violence, créerait un monde à sa guise. Si elle ne finit pas par échouer, l'Algérie ne sera que fiction. »

19 *Le Monde*, 21 mai 2001.

peuvent triompher en voyant se réaliser les plus réductrices et les plus mensongères de leurs « prophétiques » accusations.

L'« heure de vérité » historique de la chaîne française illustre le pire de ce que peut produire l'alliance entre les deux principales catégories de médiateurs de notre connaissance construite de l'Autre : aux « intellectuels négatifs » répondent trop souvent les distorsions de la large gamme de ceux que l'on peut considérer comme leurs homologues au sein du monde de l'Autre musulman, et comme les vecteurs d'une seconde forme de dévoiement de la médiation intellectuelle, les « intellectuels écrans ».

Des intellectuels « négatifs »
aux intellectuels « écrans »

Fort heureusement, l'histoire de la Révolution française n'a pas été écrite sur la base des seules mémoires des aristocrates « émigrés ». En eût-il été ainsi que, malgré la valeur de leur témoignage, l'exégèse des fruits politiques de la « terreur » nationale en eût été différente, privant des générations de modernisateurs du privilège de déceler les rayons des Lumières sous les flots du sang des élites royalistes déchues. En matière de révolution ou simplement de dynamique mettant en scène des acteurs « islamiques » (quand bien même seraient-elles singulièrement moins violentes que la Révolution républicaine française), aucune précaution de ce type ne semble prévaloir. L'un des procédés les plus efficaces pour brouiller toute perception lucide de l'argumentaire politique des islamistes consiste ainsi à ne confier son analyse ou même son exposé qu'à leurs plus farouches adversaires. C'est ce que font souvent les médias occidentaux, en recrutant, dans le camp de l'« Autre » musulman, tous ceux qui, pour des raisons variables — qui peuvent être parfois parfaitement légitimes —, sont disposés à conforter peurs et fantasmes. Opposants hautement respectables... ou marionnettes fabriquées pour la circonstance, tous n'ont pas les mêmes motifs. Mais tous — et surtout toutes — ont la même redoutable efficacité.

Les « malades de l'islam »

Les émules musulmans de Bernard Lewis ou de Bernard-Henri Lévy, tenants de la « maladie de l'islam [20] », soutiennent à un degré ou à un autre l'hypothèse essentialiste dont je tente, tout au long de cet ouvrage, de démontrer la fragilité : les attentats imaginés par Oussama Ben Laden et Aïman al-Dhawahiri ont des causes consubstantielles à l'histoire et à la culture des musulmans. Ils seraient le résultat prévisible d'une dérive dont les origines sont à rechercher non pas seulement dans la nature intrinsèque de la relation qu'ils entretiennent avec leur dogme, mais même au cœur de celui-ci. Sans nier que des progrès en matière de reconnaissance de l'« Autre » non musulman puissent être encore accomplis dans les sociétés de culture musulmane, j'incline pour ma part à penser que cette violence aurait parfaitement pu s'exprimer dans un lexique emprunté à d'autres référentiels : ceux du nationalisme « laïque », du communisme dans ses diverses versions, du national-socialisme ou de bien d'autres « dogmes » religieux ou parfaitement profanes, antiques ou récents. Le pape des coptes, Chenouda III, et d'autres autorités chrétiennes d'Orient ont accordé leur caution « religieuse » aux attentats suicides des désespérés de la politique israélienne. L'usage de la violence (et _a fortiori_ celui de la contre-violence), y compris lorsqu'elle est légitimée par une vision dichotomique, simplificatrice, voire raciste, du monde n'est en aucune manière, à l'échelle du siècle écoulé, comme de ceux qui l'ont précédé, l'apanage d'une seule des religions ou d'une seule culture.

L'affirmation de la génération islamiste contemporaine interfère très logiquement avec les intérêts d'autres composantes du paysage intellectuel ou politique arabe et musulman. Opposants pour certains, alliés plus ou moins directs des régimes pour d'autres, restés en contact étroit avec leur société ou, au contraire, exilés de très longue date (ce qui ne les empêche aucunement de... savoir), les « intellectuels écrans » ont une seule caractéristique

---

[20]   Abdelwahab MEDDEB, _La Maladie de l'islam_, Seuil, Paris, 2002.

commune : celle de tenir un discours plus agréable aux oreilles occidentales que celui de leurs challengers islamistes. Ils obtiennent de ce fait non pas la part qui devrait très légitimement leur revenir, mais un quasi-monopole de la représentation de leurs sociétés et des dynamiques politiques dont ils sont, à un titre ou à un autre, les victimes. La légitimité du *native informant*[21] (« informateur autochtone ») est d'autant plus forte que la vertu de son patronyme pare ses analyses d'une saveur endogène qui suffit souvent à faire autorité. À l'inverse, un discours plus contrasté venant du titulaire d'un patronyme tout aussi exotique le fera très vite soupçonner de complaisance, voire de complicité avec les « intégristes ».

Les critères qui permettent aux experts « autochtones » du monde musulman d'accéder à l'univers médiatique sont ainsi devenus lumineusement simples : ils ont moins à voir avec un quelconque savoir objectif qu'avec la possibilité qu'ils offrent ou non aux consommateurs occidentaux de communier dans la dénonciation du Satan « islamiste ». Pas question dès lors de se montrer trop regardant sur leur étiquette politique, la représentativité de leur vision des choses dans leurs sociétés respectives voire, dans un certain nombre de cas, sur leur éthique personnelle. Pour parler de l'arabisme, on a longtemps préféré écouter à Paris la voix des seuls militants du berbérisme. Pour parler de l'islamisme, chrétiens ou athées sont aujourd'hui tout particulièrement bienvenus. Il arrive à la gauche la plus farouchement anticléricale d'adopter les thèses de l'extrême droite chrétienne arabe, quand bien même, dans le cas du Liban, celle-ci serait à peine sortie de sa trouble dérive phalangiste. Une fois n'est pas coutume, la droite

---

21 Titre d'un article où Adam Katz déconstruit brillamment le fonctionnement intellectuel et politique de Fouad Ajami, qui, aux États-Unis, constitue l'archétype de l'« intellectuel écran » et à qui il ne reconnaît d'autre principe que celui de la « déférence à l'égard du pouvoir ». Ajami, d'origine libanaise chiite, est progressivement devenu le plus fervent soutien de la politique étrangère des néoconservateurs. « Bien que n'ayant pas produit grand-chose de valeur sur le plan académique, Ajami est associé aux plus prestigieux médias et ses idées abondamment relayées. [...] Son appartenance ethnique n'est pas pour rien dans sa célébrité. Elle lui confère une sorte d'autorité que n'ont pas d'autres polémistes non arabes tels que Martin Kraemer et Daniel Pipes » (Adam Katz, « The native informant », *The Nation*, 28 avril 2003).

française peut faire, quant à elle, son miel des thèses de la gauche maghrébine, frange staliniste incluse.

Les « musulmanistes » de la onzième heure...

Pour expliquer leur double défaite face aux islamistes et aux régimes autoritaires, différentes fractions de la gauche arabe tentent souvent aujourd'hui d'imposer des explications plus valorisantes, à défaut d'être véritablement convaincantes, des causes de leur marginalisation. Elles l'attribuent généralement au soutien imprudent que les régimes autoritaires « laïques » qu'elles combattaient auraient apporté à leurs concurrents islamistes. Les options intellectuelles et les choix politiques de ces représentants de la gauche et de leurs héritiers peuvent être toutefois très différentes vis-à-vis des islamistes. Une bonne partie d'entre eux a fait prévaloir la lutte contre l'autoritarisme des régimes. Ceux-là prennent donc le double risque de s'exposer chez eux à la répression et de souffrir de l'ostracisme des médias occidentaux. Ils explorent souvent les passerelles idéologiques et politiques de la communication avec le camp islamiste et, dans les forums ou « jeunes islamistes » et « vieux nationalistes », de plus en plus fréquemment, acceptent de se côtoyer, ils contribuent avec efficacité à restaurer la communication entre les deux générations politiques.

D'autres, moins nombreux mais plus visibles, ont choisi de faire prévaloir la lutte « contre l'intégrisme ». Ils recueillent les dividendes de leur combat soit dans le champ politique national, au service des régimes qu'ils avaient combattus, soit à l'étranger, dans la communication et l'expertise que réclame le public occidental. Bon nombre des membres de l'ex-Parti algérien de l'avant-garde socialiste (PAGS, communiste), une partie de l'intelligentsia laïque tunisienne (dont de grandes figures du Mouvement des démocrates socialistes) ont fait ainsi le pari aventureux de se rallier aux régimes autoritaires qu'ils avaient un temps combattus.

Parmi ces déçus de la gauche, certains se sont également reconvertis, à des fins médiatiques, dans une sorte de « musulmanisme »

de la onzième heure, déplaçant leur lutte contre le challenger islamiste à l'intérieur du champ religieux. Devant des auditoires européens convaincus par tant de « lucidité », ils défendent ainsi « la »
version, acquise le plus souvent sur le tard, « de l'islam », qui doit
à leurs yeux, toutes tendances confondues, mettre à nu l'égarement de l'entière génération islamiste. Le paradoxe d'une telle
posture n'est pas seulement qu'elle ne le cède en rien, en matière
d'essentialisme, à celle des challengers « religieux » de la gauche.
Une telle translation de la lutte « anti-islamiste » à l'intérieur du
champ religieux atteste surtout, fût-ce à l'insu de ses chantres, de
la réalité et de la profondeur du processus de réislamisation que
ceux-ci entendent nier ou discréditer, sans réaliser à quel point ils
y sont eux-mêmes complètement engagés. Sur le marché médiatique occidental, ces discours, cela va sans dire, trouvent une
écoute sans limite, inversement proportionnelle, dans la réalité, à
celle qu'ils reçoivent dans les sociétés du Sud pour le bénéfice
desquelles ils sont supposés être produits.

Dans tous les cas, pour parler de la majorité, les minorités
rebelles ou marginales sont particulièrement bienvenues. Au
lendemain de l'assassinat en juin 1998 du chanteur algérien berbériste, Matoub Lounes, Jacques Chirac avait bien illustré ce travers.
Pour saluer la disparition de celui que sa double rébellion avait
conduit à déclarer qu'il n'était « ni arabe ni musulman », le chef
de l'État n'a-t-il pas déclaré : « Matoub Lounes, c'était la voix de
l'Algérie ! »

L'épisode Ahmed Chalabi (le leader en exil d'un groupuscule
d'opposition irakien, conseiller du président Bush lors de la
campagne contre Bagdad à partir de 2001) et la façon dont l'administration américaine dit s'être laissée, sans trop protester il est
vrai, bercer par les conseils trompeurs de ce *native informant* ont-ils
suffi à révéler le danger de ne prendre appui, pour construire notre
connaissance du monde, que sur ceux qui confortent nos certitudes ? On peut malheureusement en douter : ONG incertaines ou
associations fantoches artificiellement grossies par les médias pour
leur seul talent à cautionner de l'intérieur la critique de celui « qui
ne veut pas boire son verre comme les autres » (à qui sont réservées

les interviews piégées de plateaux soigneusement déséquilibrés, « préparés » avant ou « montés » après) poursuivent leur trompeuse mission d'« information ».

La médiatisation systématique d'acteurs écrans en tous genres choisis pour leur talent à dénoncer les « maladies » de l'Autre musulman épaissit ainsi un brouillard d'irrationalité et de peur. Sans surprise, l'opinion occidentale glisse vers davantage de radicalisation dans la perception d'une situation complexe. Et sans surprise, cette radicalisation occidentale conforte, inexorablement, une contre-radicalisation.

9

Hard power *et « réformes » imposées :*
les illusions de la réponse
occidentale à l'islamisme

« Ce n'est pas en réformant le discours religieux qu'on pacifiera
la région, mais bien en pacifiant la région que l'on réformera le
discours religieux. »

Des leaders islamistes saoudiens, 2005 [1].

« Il n'y a pas de commune mesure entre un terrorisme de clan-
destins et un terrorisme d'État disposant d'armes massives. De
même qu'il y a disproportion entre les armes, il y a disproportion
entre les deux terreurs. L'horreur et l'indignation devant des
victimes civiles massacrées par une bombe humaine doivent-elles
disparaître quand ces victimes sont palestiniennes et massacrées par
des bombes inhumaines ? »

Edgar MORIN, Sami NAÏR et Danièle SALLENAVE, 2002 [2].

« Et si, [...] plus généralement, au cœur de nos sociétés laïques,
démocratiques, pluralistes, [...] se développait un formidable
conformisme de la pensée correcte ? Si, à la domination cléricale
d'hier, se substituait une terrible domination mimétique ? Une
domination où chacun est socialement obligé de se mouler dans
une forme de pensée convenue, ne laissant qu'une liberté de
contenu illusoire. Douceur d'un totalitarisme d'un extrême centre. »

Jean BAUBÉROT, 2005 [3].

« Si Sharon est un homme de paix aux yeux de Bush, alors nous
sommes nous aussi des hommes de paix. »

Un responsable d'Al-Qaida, 2002 [4].

---

1 Interviewés par Pascal MÉNORET, qui résume leur point de vue en ces termes dans « Le cheikh,
   l'électeur et le SMS », *loc. cit.*
2 *Le Monde*, 3 juin 2002.
3 Jean BAUBÉROT, *Laïcité, 1905-2005. Entre passion et raison, op. cit.*, p. 271.
4 Communiqué d'Al-Qaida cité par Yosri FOUDA et Nick FIELDING, *Les Cerveaux du terrorisme,
   op. cit.*, p. 166.

La réponse aux défis que les attentats du 11 septembre ont posés au monde occidental exigeait un double examen attentif et prudent de l'agenda politique des « agresseurs » d'une part, de celui du camp des « agressés » également, d'autre part. Il importait de savoir quels motifs avaient, « à travers les yeux de nos ennemis [5] », légitimé une pareille violence. Il convenait également de savoir si tous ceux, superpuissance américaine, moyennes puissances européennes, État hébreu surprotégé ou régimes autoritaires arabes, qui évoluent du bon côté du rapport de domination, avaient quelque chose à voir dans ce triomphe spectaculaire de la logique de la confrontation. Mais à l'échelon politique, ni l'examen lucide des motivations de l'agresseur ni l'introspection réaliste de la part possible de responsabilité du camp des agressés n'ont pourtant réellement eu lieu.

La « réponse des démocraties » a d'abord emprunté, pour l'essentiel, les raccourcis d'un recours massif au *hard power* militaire et sécuritaire. Parallèlement au langage de la force, une stratégie de communication s'est déployée autour de deux grands axes. Le premier procédait de la simple légitimation du recours aux effets dévastateurs et indiscriminés des bombes géantes dites *Daisy cutters*, utilisées en Afghanistan. Le second s'est déployé parallèlement sur un registre culturel et éducatif plus subtil. Il vise jusqu'à ce jour à promouvoir dans le « Grand Moyen-Orient » — une audacieuse innovation conceptuelle de l'administration américaine pour désigner la partie du monde musulman comprise entre le Maroc et l'Afghanistan — des « ouvertures modernisatrices » à la fois politiques et culturelles dont *a priori* chacun ne peut que se féliciter. L'examen attentif de la démarche initiée par Washington et cautionnée pour l'essentiel par l'Europe révèle pourtant très vite ses limites : là encore, c'est l'unilatéralisme le plus pernicieux qui prévaut. C'est l'Autre, et seulement lui, qui est invité à changer, laissant le déséquilibre de la répartition mondiale des ressources à l'abri de toute réflexion critique.

---

5   Michael SCHEUER, *Through Our Ennemies Eyes*, Brassey's Inc, Dulles, 2002.

Enfermer l'autre dans le religieux
pour mieux l'expulser du politique

La violence des attentats du 11 septembre et leur spectaculaire ampleur ont suffi pour légitimer aux yeux de l'opinion publique mondiale la campagne aérienne lancée dès octobre 2001 contre l'Afghanistan des talibans, berceau protecteur des réseaux d'Oussama Ben Laden. Assortie de massacres collectifs, directs ou par chefs de guerre afghans interposés, cette première phase de la riposte américaine n'a pourtant pas permis de vérifier que les cibles humaines bombardées coïncidaient avec les auteurs ou les complices directs ou indirects des attentats du 11 septembre. Les plus importants leaders d'Al-Qaida et des talibans, et une partie substantielle de leurs troupes, parvinrent en tout état de cause à échapper au premier round de la confrontation.

La campagne terrestre afghane puis la poursuite de la riposte militaire — dont les principaux débordements ne seront connus que bien plus tard — n'eurent ensuite rien à envier au pire de ce qui avait pu être reproché à ceux qu'elles visaient. Le sort réservé le plus officiellement du monde aux prisonniers de la *global war on terror* a fait faire aux lois de la guerre un sinistre bond en arrière : exclus, par la seule magie du verbe du plus fort, de la sphère d'application des conventions de Genève, ils ont été systématiquement humiliés sexuellement ou torturés sur des consignes très officielles du Pentagone, livrés à des tortionnaires privés ou transférés sans trace dans des pays de non-droit. L'administration Bush et le camp des néoconservateurs, dont la propension à recourir au *hard power* se rapprochait déjà singulièrement de celle des jihadistes qu'ils combattaient, ont donné depuis lors, avec le concept de « guantanamisation » de l'adversaire, une sorte de pendant occidental au concept musulman du *takfir*.

Le traitement réservé, dans les lieux de détention afghans d'abord, sur l'île de Cuba ensuite et, selon toute vraisemblance, dans plusieurs sites de détention demeurés secrets jusqu'à ce jour ressemble à s'y méprendre aux méthodes attribuées aux tenants de cette redoutable idéologie [6]. Le *takfir*, équivalent approximatif de l'excommunication en droit canon, consiste en effet à dénier à son adversaire sa qualité de membre de la collectivité et à se croire autorisé de ce fait à le priver de tous les droits, protections et garanties inhérents à cette appartenance. Ce procédé, dont, grâce aux Lumières, l'Occident pensait avoir débarrassé une grande partie du monde « civilisé », semble avoir trouvé, outre-Atlantique notamment, de nouveaux adeptes. Certains militaires américains ne s'y sont pas trompés, qui ont pris peur en réalisant que c'est à eux-mêmes, leurs fils ou leurs filles, que ces nouvelles normes du traitement de l'Autre, fortes de ce formidable précédent, pourraient un jour être appliquées.

La campagne de communication de l'administration américaine s'est ensuite attachée, à grand renfort de « preuves » assénées comme autant d'évidences par les experts des grands médias, à dénier à la conduite de l'adversaire toute rationalité, voire toute cohérence politique. Si la question « *why do they hate us ?* » — pourquoi nous haïssent-ils ? — fut parfois posée en ces termes [7], elle ne fut jamais prise en compte en tant que telle au plus haut niveau de l'État américain, très rarement en Europe, avec toute la lucidité qu'elle méritait. La communication de l'administration américaine et de ses relais européens s'est au contraire mobilisée pour prévenir tout examen rationnel des causalités profanes de la violence « religieuse » des agresseurs.

---

6 Pratiquement tous les prisonniers de Guantanamo sont détenus depuis plusieurs années sans inculpation. Les États-Unis les qualifient d'« ennemis combattants » et leur dénient le statut de prisonniers de guerre et les garanties liées aux conventions de Genève. Les prisonniers détenus secrètement sont rarement identifiés. Depuis son transfert aux mains des autorités américaines, après son arrestation en mars 2003 à Rawalpindi (Pakistan), Khaled Chaykh Mohamed, organisateur présumé des attentats du 11 septembre, a ainsi été, comme beaucoup d'autres avant lui, tenu à l'écart de toute procédure judiciaire légale. En juillet 2005, deux hommes incarcérés dans une prison yéménite ont raconté à une représentante d'Amnesty International comment ils avaient été maintenus à l'isolement par les autorités américaines dans un centre de détention secret pendant plus d'un an et demi, sans voir la lumière du jour et, la plupart du temps, enchaînés et menottés, sans possibilité d'entrer en contact avec leur famille, un avocat ou des organisations humanitaires et ignorant jusqu'au pays dans lequel ils se trouvaient. En mai 2005, un rapport de l'organisation Human Rights Watch (HRW) a recensé (depuis le milieu des années 1990) soixante-trois cas de militants islamistes présumés transférés clandestinement vers l'Égypte pour y être torturés.
7 Voir notamment Fareed ZAKARIA, « Why they hate us », *Newsweek*, 15 octobre 2001.

Sans doute la réponse à cette question était-elle en grande partie connue des décideurs américains, impliqués notamment dans le co-pillage des ressources saoudiennes (par eux-mêmes et les princes qu'ils protègent) et les grandes manœuvres diplomatiques et militaires régionales destinées à maintenir le rythme et l'efficacité d'une telle entreprise. Pour la cohorte des spécialistes autoproclamés du terrorisme « islamique », en revanche, Ben Laden a ainsi été réputé, et sur un ton péremptoire, n'avoir « que faire de la Palestine [8] », de l'Algérie ou de l'Irak : ce qui montre bien qu'il n'en voulait donc, lui et tous les siens, qu'à notre démocratie, à nos libertés, à nos valeurs, purent alors conclure tous ceux que réconfortait une si confortable « évidence ». Seuls les internautes curieux ou le trop petit nombre de ceux qui, en Occident, accèdent aux informations de certaines des chaînes satellitaires arabes [9], ont pu prendre la mesure du fossé effrayant qui s'est ainsi creusé entre les représentations occidentales et celles du monde arabe.

L'escamotage de l'examen de l'agenda politique du « camp des agresseurs » s'est opéré essentiellement par le biais de ce qu'il convient de nommer la « sur-idéologisation » de ses revendications. Les chantres du discours officiel parvinrent très vite à imposer une analyse aussi rassurante que simple : s'ils « nous haïssent », c'est parce qu'ils sont « intégristes », victimes de leur sectarisme « anti-occidental » ou « anti-américain » (puisqu'ils s'en

---

8   Il existe pourtant de multiples indices de la place qu'occupe la question palestinienne dans la conscience politique de Ben Laden comme dans celle d'une écrasante majorité de musulmans, tout particulièrement arabes. L'une d'elles est le fait qu'il a très tôt côtoyé Abdallah Azzam, le responsable palestinien de l'enrôlement des « Afghans arabes » dans la lutte contre la présence soviétique en Afghanistan. Cela ne l'a pas empêché d'exprimer parfois des postures qui pouvaient apparaître comme plus étroitement « nationalistes » (à défaut d'être « saoudiennes »), en déclarant par exemple qu'entre les deux sanctuaires de Médine et La Mecque et celui de Jérusalem (tous trois restaurés par son père), « son cœur était plus près » de ceux qui se trouvaient sur le sol de l'Arabie.

9   Sur le début d'inversion des flux médiatiques Nord-Sud amorcé par la création de chaîne qatari Al-Jazira, voir Olfa LAMLOUM, *Al-Jazira, miroir rebelle et ambigu du monde arabe*, La Découverte, Paris, 2004. Depuis lors, peu d'observateurs ont à ce jour signalé que depuis le début de la campagne américaine en Irak au printemps 2003, les pressions de Washington ont abouti à une profonde « normalisation » de la chaîne « rebelle », dont, entre terrains, la couverture du conflit irakien (mais pas seulement) a fait des concessions essentielles aux catégories d'analyse de Washington.

prennent à l'Occident et aux États-Unis) ou de leur sectarisme « antisémite » (puisqu'ils s'en prennent à l'État hébreu). Le tour de passe-passe rhétorique consiste, pour lui interdire l'accès au registre du politique, à enfermer l'agresseur dans sa seule appartenance religieuse. Pour pouvoir « légitimement » ignorer les revendications profanes, il suffit de criminaliser l'exotisme du vocabulaire employé pour les exprimer. Les revendications « islamistes » se retrouvent ainsi confinées dans une sorte de « hors jeu » du politique, interdisant non seulement leur prise en considération mais, le plus souvent, la reconnaissance même de leur existence.

La propension unanime des caricaturistes, éditorialistes, agences de presse, radios et télévisions et d'une partie significative du champ académique à ne mettre en avant que la dimension religieuse des communiqués plutôt que leur substrat politique participe du bon fonctionnement du dispositif. Inconsciemment, mais aussi parfois très consciemment, le traitement médiatique surdétermine et criminalise cet exotisme lexical qui prend valeur de preuve de l'illégitimité de son utilisateur. Loin des exigences des sciences sociales (qui imposent de rechercher dans l'histoire des acteurs le sens exact des repères qu'ils emploient), l'approche dominante s'interdit donc de jeter la moindre passerelle sémantique ou analytique entre les deux « camps » qui s'affrontent. Et toute tentative en ce sens est inévitablement taxée de « compréhension » coupable, de « fascination » dangereuse pour l'objet islamiste, voire de « complicité objective » avec l'ennemi — comme si l'enjeu n'était pas de mieux comprendre les ressorts profonds des agressions anti-occidentales pour tenter d'y mettre fin, mais au contraire de les alimenter pour mieux justifier une posture de domination. Plutôt que de déconstruire l'incommunicabilité réciproque pour tenter de la dépasser, l'objectif semble être au contraire de l'attester et de la renforcer.

Le résultat est que le lecteur citoyen confronté à sa peur légitime d'Al-Qaida a peu de chances de prendre conscience que le *jihâd* de ses « agresseurs » a peut-être bien son équivalent dans le penchant avéré de George Bush, et de tous ceux qui ne s'opposent pas à ses entreprises, pour les raccourcis du *hard power* ; ou que leur étrange *takfir* a peut-être lui aussi des adeptes parmi les concepteurs de la « guantanamisation » des prisonniers de guerre. Il n'est pas question qu'il puisse non plus imaginer un instant que cette *oumma* [10] des barbares puisse avoir quelque chose de commun avec n'importe laquelle des appartenances collectives auxquelles, de par le monde, un individu normalement constitué pourrait avoir légitimement envie de s'identifier. Il est vrai que s'entendre proposer, comme guide de lecture et comme principe explicatif, que ces adeptes d'une exotique *oumma* font de surcroît courir à celle-ci le risque d'une *fitna* [11] (discorde) est sans soute plus « rassurant » — mais pas forcément plus éclairant — que de rappeler un fait aussi massif que trivial : les sociétés du monde musulman, tout entières composées d'être humains, n'échappent pas à l'universalité de la règle qui veut que les clivages politiques soient le moteur des dynamiques de l'histoire. Un tel oubli n'aide évidemment pas à prendre conscience de ce qui est peut-être le cœur du problème, à savoir les mille et une façons qu'a le « camp occidental » d'être très directement impliqué, sans jamais vouloir le reconnaître, dans la plupart de ces tensions.

Cette stratégie ne date pas de la réponse aux attentats du 11 septembre. La longue guerre civile née de l'annulation des élections législatives algériennes en janvier 1992 l'avait déjà largement rodée [12]. La criminalisation de la résistance palestinienne, dès lors qu'elle a commencé à être en partie identifiée à la génération islamiste, a relevé ensuite du même procédé. Vladimir Poutine allait lui-même bientôt exceller dans son maniement pour disqualifier l'ensemble de la résistance tchétchène.

Servie par un quasi-monopole médiatique, la réponse américaine n'a donc pas eu de peine à cantonner hors du débat public la moindre évaluation ou même seulement l'énonciation rationnelle des revendications du camp « adverse ». Ce n'est pas seulement la

---

10 La communauté des croyants musulmans.
11 Gilles KEPEL, *Fitna. Guerre au cœur de l'islam*, Gallimard, Paris, 2004.
12 Voir en annexe mon article d'avril 1992 consacré à la situation algérienne.

connaissance historicisée de la culture, de la religion ou de la civilisation de l'Autre « islamiste » qui est ainsi occultée ou caricaturée mais, plus simplement, la réalité des griefs qu'il peut avoir à notre égard. Ainsi s'opère la disqualification « préventive » des résistances aux dysfonctionnements des ordres et des instances politiques qui fondent l'hégémonie des nantis de la politique mondiale.

De la part de l'administration américaine, alors démocrate, les premières attaques d'Al-Qaida ont révélé à quel point cette stratégie de la surdité, ou de l'autruche, consistant à refuser à l'adversaire l'accès au terrain de la revendication politique, était déjà solidement établie. En octobre 2000, un an avant les attaques contre Manhattan et Washington, un attentat suicide avait gravement endommagé le destroyer américain *US Cole*, ancré en rade d'Aden (Yémen), et tué dix-sept de ses marins. Aux yeux de milliers d'habitants du Proche-Orient (mais aussi de bien d'autres parties du monde) de toutes confessions et de toutes appartenances politiques, un « acte de guerre » venait certes de causer la mort de plusieurs soldats. Mais cet acte de guerre visait un navire de guerre, bourré d'armes sophistiquées, se dirigeant vers les côtes de l'Irak où il ne s'apprêtait pas à faire des manœuvres, mais à reprendre son rôle dans la mise en œuvre de « frappes stratégiques » et d'un embargo responsable de la terrible asphyxie économique d'un pays déjà affaibli. Ces « jeunes gens » étaient donc bien en train de faire une guerre, au demeurant tout particulièrement meurtrière, puisque sans avoir — on a pu le vérifier depuis — la moindre efficacité au regard de ses objectifs énoncés (la chute de Saddam Hussein ou la destruction de ses armes de destruction massive), elle était en train de conduire à la paupérisation et à l'illettrisme toute une génération d'enfants irakiens et au décès des dizaines de milliers d'entre eux, pour ne rien dire des centaines de milliers de leurs parents.

Qu'importe ! Les paroles de Bill Clinton aux obsèques des marins ne laissèrent pas place au moindre doute, à la moindre incertitude, à la moindre réflexion sur la politique étrangère des États-Unis dans la région : sans attendre le prétexte du

11 septembre, l'impasse mortifère d'une communication réduite à un langage de sourds était déjà solidement verrouillée. Les soldats morts à Aden étaient à ses yeux « liés par un même engagement au service de la liberté » pour laquelle l'Amérique « ne cesserait de lutter » : de la part des agresseurs, il ne pouvait donc s'agir que de la « jalousie » éprouvée vis-à-vis des valeurs des jeunes marins, venus de toutes les cultures du *melting-pot* américain. Le Mal absolu, produit d'on ne sait quelle perversion ou de quelle dégénérescence de la nature humaine, venait, une fois de plus, de s'en prendre à la Vertu ! Pour conclure, le président stigmatisa donc la devise intolérable qu'il prêtait aux « agresseurs intégristes » des jeunes Américains « épris de liberté ». Chez ces gens-là, s'écria-t-il, c'est *our way or no way* (« notre manière [de voir] ou rien d'autre »). Quelques mois plus tard, c'est à peu de chose près au nom d'une formule aussi redoutablement simplificatrice (il faut être « avec nous ou contre nous ») que son successeur lança le monde occidental sur les chemins hasardeux de la grande « croisade contre la terreur » où il est aujourd'hui égaré.

L'illusion culturaliste, ou changer l'Autre... et seulement lui

Parallèlement aux raccourcis du *hard power* et à la campagne de criminalisation idéologique de l'adversaire, la réponse américaine s'est mobilisée autour d'un axe tout aussi idéologique, qui se révèle à l'examen procéder de la même forme d'unilatéralisme. Partiellement au moins désavouée sur le terrain militaire par ses partenaires européens, l'administration américaine a été rejointe à peu près sans réserve dans cette approche culturaliste de la crise des relations avec le monde musulman. L'illusion d'une issue « éducative » aux tensions avec l'Autre, aussi répandue qu'elle est intellectuellement confortable, s'appuie sur un postulat fort simple. Il ne s'agit, après avoir crédibilisé l'explication culturaliste de l'origine des résistances, que de prôner une solution « éducative » pour s'en prémunir. Pour dissuader les agresseurs de toute velléité de contestation, la solution est de les aider à « réformer leur culture ».

La fragilité de cette approche est d'être, une fois encore, curieusement sélective et de conforter ainsi une lecture très unilatérale de l'origine des dysfonctionnements de la planète. Le « changement » et l'« ouverture » concernent plus naturellement ceux qui résistent aux dysfonctionnements de l'ordre mondial que les bénéficiaires de cet ordre-là. La rhétorique américaine du « Grand Moyen-Orient », même si elle évoque de façon récurrente la nécessité d'une solution pacifique du conflit israélo-palestinien, se garde le plus souvent d'identifier deux catégories de réformes qui sont pourtant sans doute les plus urgentes. La première est celle des dispositifs institutionnels régissant l'ordre mondial, c'est-à-dire l'unilatéralisme américain et l'impuissance dans laquelle il cantonne l'ONU, tout particulièrement dans le conflit israélo-arabe. La seconde est celle des régimes, notamment arabes, qui, en échange du blanc-seing qui leur est accordé en matière de gouvernance non démocratique, ont pris le parti prudent de se soumettre à cet « ordre ».

À ceux qui résistent ou à ceux qui s'opposent, il est en revanche demandé, avec beaucoup plus d'insistance, de s'« ouvrir » au monde, de « dialoguer » et/ou de « changer ». Dans cette logique, « Êtes-vous certains de ne pas vouloir dialoguer avec ma civilisation » veut dire « Êtes-vous certains de ne pas vouloir composer avec mon système ? », ou « Êtes-vous vraiment déterminés à en contester le déséquilibre ? » « Ne voulez-vous pas vous démocratiser ? » doit se traduire : « Êtes-vous sûrs de ne pas vouloir changer ce régime qui m'est si hostile pour, au nom de la démocratie, en promouvoir un qui le serait moins ? » C'est bien à l'Autre, et rarement à eux-mêmes ou à leurs alliés domestiqués, que sont vantées par les maîtres de la *global war on terror* les exigences de la réforme politique. La « culture du changement » que promeuvent symposiums et séminaires à travers les capitales occidentales ou arabes du début de ce siècle doit se lire comme visant à promouvoir la culture du changement... des opposants en alliés. C'est plus naturellement aux dictatures rebelles qu'à celles qui ont fait acte de soumission qu'est intimée la consigne de « changer ». On met bien sûr infiniment moins d'insistance à réclamer « plus de démo-cratie » à Alger ou à Tunis qu'à Téhéran ou que l'on avait mis à le faire auprès du maître de Bagdad avant qu'il n'ait eu l'idée suici-daire de s'approprier les champs pétroliers koweïtiens.

À l'échelon européen, cette politique d'éducation très sélective des acteurs musulmans a des adeptes convaincus. Pour eux, il suffirait en quelque sorte que les musulmans se décident à faire une nouvelle lecture de leur Coran, ou encore à s'en tenir à meil-leure distance, qu'ils achèvent en quelque sorte leur mutation modernisatrice, pour résorber la profondeur des ressentiments palestiniens, irakiens ou algériens à notre égard. À nous bien sûr de les y aider, en leur inculquant la bonne façon de lire leur livre saint. Les outils de cette politique culturelle aux lourdes arrière-pensées politiques sont rodés de longue date. Ils vont de ces colloques bien-pensants où s'entre-congratulent les seuls partisans d'un même camp « laïque », jusqu'aux moins nuancés des films de Youssef Chahine [13], tournés « à la caméra de 105 sans recul » et que la République française n'hésite pas à coproduire avec, une fois n'est pas coutume, le ministère égyptien de la Culture et le ministère syrien de... l'Information.

Ces incantations univoques suffiront-elles à en finir avec l'« intégrisme », le terrorisme d'Al-Qaida, les kamikazes palesti-niens et, pourquoi pas, les incendies de voitures dans les banlieues ? Une telle perspective est parfaitement mystificatrice. La dynamique de modernisation intellectuelle a, dans le monde musulman comme partout ailleurs, besoin d'une atmosphère, locale et régionale, de libéralisme politique. Tout progrès de l'esprit ne peut intervenir que dans un contexte libéré des dicta-tures nationales et des oppressions régionales qui nourrissent et crédibilisent les postures réactives. Or toute la contradiction vient précisément de ce que l'Occident contribue d'une main à renforcer, directement (à coups de bombes britanniques ou

---

13 Et notamment *Le Destin*, charge caricaturale et simplificatrice sur l'origine des courants isla-mistes et leur horizon intellectuel et politique, primé en 1997 au festival de Cannes.

américaines) ou indirectement (par le soutien aveugle aux errances d'Ariel Sharon ou à celles des Pinochet arabes), ce radicalisme qu'il prétend combattre de l'autre. La « maladie » (culturelle) apparente « de l'islam » est le produit et non la cause de ce cercle vicieux très politique où est enfermé le monde musulman et dont l'Occident se préoccupe si peu de l'aider véritablement à sortir.

Le 27 avril 2004, avant de dérouler sans la moindre vergogne le plus épais des tapis rouges sous les pas bruxellois de Mouammar Kadhafi, l'Union européenne s'est-elle le moins du monde souciée de l'état d'avancement démocratique de l'un des régimes les plus autoritaires de la Méditerranée ? Certainement pas. Tout au plus a-t-elle vérifié que ce régime, dûment domestiqué, n'avait plus les moyens de nuire à l'ordre mondial, c'est-à-dire à nos intérêts économiques bien compris. La Libye pompera du pétrole à un rythme plus élevé. Elle nous aidera à barrer la route aux migrants africains en mal de passage vers l'Europe. Que lui demander dès lors de plus ?

Dans la rhétorique du changement « démocratique », ce sont donc des « travers » des opposants et autres résistants et d'eux seuls dont il est question. Ce sont leur éducation et leur culture, dangereusement « islamiques », c'est-à-dire « indociles », qu'il convient de réformer. Ce qui ne doit en revanche surtout pas « changer », ce qu'il faut précieusement conserver à tout prix, c'est le rapport de forces qui permet à l'hégémonie des nantis de la politique, petits et grands, de perdurer. Le monde (de l'Autre) persiste-t-il à protester de plus en plus fort devant l'unilatéralisme de ce traitement ? On vous l'avait bien dit ! C'est donc qu'il y a urgence : il faut le « changer ».

Conclusion

Contre le terrorisme :
une arme absolue ?

L a criminalisation, dans les médias ou par les chancelleries occidentales, de toute expression protestataire ou opposi-tionnelle montant du « Sud » dès lors que ses auteurs emploient le vocabulaire de la culture musulmane est sans doute à l'origine pour la diplomatie européenne de la plus grave de ses contre-performances : celle de l'échec flagrant du « processus de Barce-lone », lancé bruyamment en novembre 1995, dont chacun reconnaît aujourd'hui qu'il est demeuré lettre morte [1]. À l'origine de ce revers manifeste de la communication Nord-Sud se trouve très vraisemblablement l'incapacité européenne à reconnaître la légitimité des oppositions islamistes modérées et leur potentiel de modernisation. Il en résulte une inaptitude à établir un contact efficace avec les sociétés civiles réelles du Sud, au seul profit de partenaires désignés comme « laïques », sélectionnés — sans se soucier, le cas échéant, de leur proximité avec des régimes particu-lièrement illégitimes — pour leur habileté à nous dire, dans la terminologie qui nous est familière, ce que nous souhaitons entendre et à peu près seulement cela.

---

1 Les 27 et 28 novembre 1995, à Barcelone, les gouvernements de vingt-sept pays, le Conseil de l'Union européenne et la Commission européenne ont créé le Partenariat euroméditerranéen (PEM), avec pour objectif principal de faire du bassin euroméditerranéen une zone de dialogue, d'échanges et de coopération en vue de garantir la paix, la stabilité et la prospérité.

À force de ne pas vouloir reconnaître une génération politique tout entière, de plier ses principes à l'importance de la rente pétrolière maniée par ses interlocuteurs, de sacrifier le long terme politique sur l'autel du court terme financier et électoral, l'Europe, France en tête, a dangereusement affecté la portée et l'efficacité de ses échanges culturels et politiques avec son environnement musulman. Incapable de négocier avec — ou seulement d'accepter — des interlocuteurs ailleurs qu'auprès des régimes autoritaires ou sur le rebord fragile des sociétés qui lui renvoient l'image réconfortante de son universalité, la diplomatie européenne s'est mise en « porte-à-faux » avec toute une partie du monde[2].

C'est dans ce contexte que, pour un nombre sans cesse croissant de ceux à qui les puissances occidentales ont nié toute légitimité politique, les méthodes les plus radicales sont irrésistiblement apparues comme une alternative. Pour une grande part, c'est ainsi que, sur les ruines d'une communication politique consommée, nous sommes, tout aussi irrésistiblement, entrés dans l'ère du terrorisme.

Conçues avec les mêmes préjugés, malgré l'ampleur des moyens affectés à leur mise au point, les armes de lutte contre ce terrorisme ont, pour l'heure, démontré surtout les limites de leur efficacité. Des dizaines de citoyens innocents paient régulièrement le prix de cette carence manifeste de la protection que les

---

2 Mieux vaut tard que jamais : certains *think tanks* américains démocrates se sont très tardivement ralliés à cette perspective. « La clef de la réforme arabe : les islamistes modérés », titrait ainsi en juillet 2005 un article d'un chercheur de la Carnegie Endowment for International Peace (Amr HAMZAWY, « The key to arab reform : moderate islamists », *Policy Brief*, n° 40, 26 juillet 2005, <www.carnegieendowment.org/publications>). Avant que la moindre réforme significative puisse avoir lieu dans le monde arabe, affirmait en substance cet auteur, les États-Unis et l'Europe doivent commencer à établir des relations avec les islamistes modérés, une entreprise moins épineuse qu'il ne peut le paraître, car ces islamistes ont fait leurs les règles démocratiques et ont fait preuve d'un soutien très réel à l'État de droit. La Commission européenne a également organisé plusieurs réflexions prenant en compte cette exigence, qui est pourtant loin d'être acquise par ses dirigeants. L'essayiste Alexandre Adler est pour sa part encore plus loin d'une telle clairvoyance : apprenant que le Premier ministre britannique, Tony Blair, avait décidé d'associer Tariq Ramadan à la réflexion de son gouvernement sur le terrorisme, il a préféré faire part de son immense contrariété (France Culture, 3 septembre 2005).

responsables politiques doivent à ceux qui les ont élus. Ils vivaient hier à Londres, à Madrid ou à Charm el-Cheikh. C'est demain à Copenhague, à Rome ou à Paris que la liste pourrait s'allonger. Des millions d'autres citoyens pâtissent par ailleurs du formidable gaspillage induit par l'inflation des dépenses sécuritaires. Tous sont touchés de surcroît par le recul spectaculaire des libertés civiles et démocratiques, qui sont un autre versant plus coûteux encore de cette option sécuritaire.

Peu des solutions proposées par nos experts en contre-terrorisme sont à ce jour réellement probantes. Faut-il « fermer les universités islamiques du Golfe », comme le suggère celui-ci ? Intensifier le programme de réforme de la culture de l'Autre et le rythme de son « apprentissage de la liberté », des droits de l'homme et de la démocratie, comme celui-là en semble convaincu ? Faut-il dresser de nouveaux murs ? Multiplier les écoutes de l'Autre et les caméras de surveillance braquées dans sa seule direction ? Faut-il renforcer, encore et toujours, répression et suspicion et, sans crainte d'améliorer les performances de la vieille machine répressive « à fabriquer des poseurs de bombes », équiper la planète de nouveaux « Guantanamo » ?

Il se pourrait pourtant qu'existe une arme autrement plus efficace. Elle aurait déjà été identifiée. Seul un refus aveugle de la mettre en œuvre serait donc à l'origine de l'échec retentissant et persistant de l'offensive occidentale contre le fléau terroriste du XXIᵉ siècle. C'est son coût qui prévient, semble t-il, ceux qui en ont les moyens, de la mettre en œuvre et de protéger, réellement, leurs concitoyens.

Il est vrai que cette arme est particulièrement coûteuse ; et les nantis, petits et grands, « Occidentaux » ou « musulmans », de l'ordre mondial du XXIᵉ siècle naissant semblent peu enclins à vouloir en payer le prix. On les comprend : l'arme s'appelle en effet « partage ». Et elle vise... tout ce que précisément, ils n'entendent pas partager. Les ressources économiques et financières bien sûr, pétrolières ou industrielles, à l'échelle de la planète ou à celle de chacune de ses nations. Le pouvoir politique ensuite, accaparé par tous les leaders au long cours qui, d'« élections » en

« réélections », en privent toute une génération. La Palestine aussi, dont le partage, promis depuis si longtemps, est devenu aujourd'hui une si parfaite fiction.

Partager veut dire également accepter que d'autres discours et d'autres croyances que les siens propres aient le droit d'exprimer le bien, le bon, le juste, bref toutes ces valeurs dont nous ne prenons pas toujours le temps de réaliser qu'elles nous sont communes, quand bien même leurs défenseurs ne révèrent pas les mêmes icônes et usent des catégories symboliques, des langages et des codes aussi diversifiés que le sont les cultures de la planète.

Plus simplement, il faudrait songer également à partager et à faire partager... l'émotion et à accorder la nôtre à *toutes* les victimes de *toutes* les violences. Pour ce faire, il ne faut pas hésiter à dénoncer l'hypocrisie des humanistes à géométrie variable qui pensent pouvoir s'arroger un monopole dans ce domaine. On peut vouloir pleurer le sort de colons contraints de quitter une terre qui n'était pas la leur et partir, très largement indemnisés, vers d'autres colonies. Mais alors n'oublions pas non plus le sort des milliers de ceux dont la maison a été rasée, sans autre forme de procès, plus discrètement, loin des caméras de télévision, au petit matin. Il faut donc partager, par-dessus tout, le droit de faire connaître et valoir sa vérité, son histoire, petite et grande, et sa vision du monde aux heures de grande écoute, sur les écrans ou dans les haut-parleurs d'une presse dont nous devons tout faire pour qu'elle demeure — ou, plutôt pour qu'elle redevienne ! — plurielle.

Partager, en effet, ne veut pas toujours dire donner. Il peut s'agir aussi de savoir prendre. C'est le cas pour... l'avis des autres. Or, si nous « fabriquons » notre information au lieu de la collecter, si les voix du monde, et *a fortiori* celles de nos propres sociétés ne nous parviennent plus que par des canaux dont nous avons pris le contrôle, si nous en arrivons à ne plus entendre que le son de notre propre voix, nous nous privons du bénéfice d'une denrée absolument vitale : le point de vue des autres, de tous les autres, ce point de vue même qui nous permet de nous connaître dans notre particularité, dans notre relativité et donc, éventuellement, dans nos faiblesses et dans nos erreurs. Un tel enfermement peut vite ressembler à une forme d'autisme. C'est peut-être bien de ce mal-là qu'une partie de l'establishment médiatique et politique de la planète est aujourd'hui atteinte.

Et c'est précisément cet autisme, combiné aux exigences de la politique politicienne et du court terme électoral, qui risque d'entraîner — ou entraîne déjà — certains responsables politiques sur une pente dangereuse. En Europe, un gyrophare dans une main, le dictionnaire des clichés de la haine ordinaire dans l'autre, une partie de la classe politique semble tentée de vouloir construire ses victoires électorales à venir en cultivant les penchants xénophobes de chacun. Pour un homme politique, il existe, en effet, deux sortes de sécurité. La première, qui devrait avoir toutes les priorités, est la sécurité des citoyens. La seconde, parfois plus importante à ses yeux, est la sécurité de son élection. Pour assurer cette dernière, il peut suffire de parler aux tripes de ses électeurs, de conforter leurs peurs, de cultiver leur méconnaissance de l'Autre. Et d'imposer ainsi une lecture purement sécuritaire des tensions, reposant sur une répartition à sens unique des responsabilités et, partant, sur la dominante répressive des « remèdes » à mettre en œuvre.

Protéger réellement la sécurité des citoyens est, en revanche, une tâche infiniment plus coûteuse. Elle est en effet électoralement moins immédiatement gratifiante, car ses exigences s'inscrivent dans le long terme. Elle se prête moins aux exercices de communication, à la mobilisation des images qui choquent et des émotions qui « instantanéisent » toute perception. Elle exige de parler à la raison des citoyens, de calmer leurs peurs au lieu de s'en servir comme tremplin oratoire. Et aussi de leur faire admettre l'idée désagréable de la complexité de la crise et le fait que chacun d'entre nous y porte manifestement une part, petite ou grande, selon son rang dans le monde, de responsabilité. En 2005, d'un bout à l'autre de l'Europe, dans l'urgence électorale des démocraties, la politique sécuritaire du gyrophare et les raccourcis criminalisants du « Karcher » semblaient malheureusement en bonne voie pour l'emporter. Ces victoires-là pourraient prendre, bien vite, le goût amer des fausses routes qui se terminent dans l'impasse de vrais conflits — ceux précisément que l'on se targue de vouloir prévenir.

Le vrai courage politique, qui préparerait une vraie restauration de la sécurité, serait d'imposer une autre lecture des tensions internationales. Une lecture qui ne céderait plus aux raccourcis sélectifs de tous ceux qui, pour quelque raison que ce soit, se refusent à admettre que les responsabilités de la terreur sont bel et bien partagées et qui contribuent, de ce fait, à l'entretenir. Car tant qu'il est le seul à être entendu, le chœur de la voix des loups renforce, jour après jour, celles de politiciens frileux en quête de victoires faciles.

Le partage ou la terreur. Ce choix, plus que jamais, reste encore le nôtre.

Annexe

1992 : les islamistes
sous le regard de l'Occident*

En les enfermant par milliers au fond du Sahara algérien, les dirigeants algériens et tunisiens ont sans doute ralenti la longue marche des islamistes vers le pouvoir. Mais ils ne l'ont certainement pas interrompue. Depuis Nasser et l'écrasement des Frères musulmans, beaucoup d'eau a coulé sous les ponts du Nil et la manière forte, pour rayer du paysage politique un courant dont on sait désormais qu'il s'appuie, un peu partout dans le monde arabe, sur une large majorité de la population, risque bien de ne pas suffire. Pour se préparer à une cohabitation devenue inéluctable, le Nord n'a fait pour l'heure que de bien petits pas. Les quelques semaines écoulées nous ont pourtant plus appris sur ces islamistes que bon nombre des milliers de pages écrites de longue date à leur sujet. Les militants ont fait une nouvelle fois la démonstration de la profondeur et de la solidité de leur ancrage populaire. Exit dès lors la fiction, érigée en dogme par le *wishful thinking* occidental, d'un groupuscule d'activistes d'autant plus tentés d'accéder au pouvoir par la force qu'ils redoutent d'en être écartés par les urnes.

Les « montagnards démocrates », ensuite, ne sont nulle part parvenus à convaincre leurs frères des plaines. Exit encore la fiction d'une alternative autre qu'ethnique — car comment, sérieusement, qualifier le vote du FFS algérien ? — au vote islamiste. Une très large majorité des femmes, et pas seulement au fond des campagnes, paraît avoir bel et bien choisi de « voter FIS ». Exit enfin, dans un dossier infiniment plus complexe, le raccourci simplificateur d'une mobilisation islamiste « contre les femmes ».

Qu'à cela ne tienne. À défaut de trouver dans le paysage politique la

---

* François Burgat, *Le Monde*, « Débats », 30 avril 1992.

207

« troisième force » capable de combattre son ennemi supposé, le regard occidental (singulièrement aidé, il est vrai, par les communiqués des ministères maghrébins) n'en poursuit pas moins sa quête désespérée du segment des sociétés arabes qui voudra bien le sauver du résultat... de leurs urnes. Les plus opiniâtres de non-analystes en sont pour l'heure à sonder les bataillons des abstentionnistes.

Existent-ils ? Sans doute. Constituent-ils une majorité alternative ? Certainement pas ! Car comment oublier que les victoires du FIS sont, dans l'entière histoire algérienne (référendum d'indépendance excepté), le fruit des deux seuls scrutins où le régime n'a pas purement et simplement fabriqué le niveau de participation ? Si l'on veut bien (mais qui l'a fait ?), les comparer à ceux (10 %, 15 %) qui réélisent régulièrement nos grands alliés « démocrates » de la région, les 50 % ou 60 % de votants de ces premiers vrais scrutins ont donc valeur, pour les islamistes, d'une formidable caution.

Et rien, absolument rien, ne permet par ailleurs de déceler dans le terroir abstentionniste autre chose que la chambre d'écho de la majorité apparue en 1990, c'est-à-dire, toutes proportions gardées... une réserve supplémentaire de voix islamistes.

Alors ? Point de lueur d'espoir à l'horizon ? Point d'autre navire que des *boat people* chargés de femmes fuyant la tyrannie coranique ? Point d'autre issue, à terme, que le martyre de notre sainte laïcité ? Un scénario moins tragique et plus vraisemblable existe pourtant. Il ne coûte pour l'heure que le prix de quelques ingrédients qu'il nous faut urgemment réintroduire dans nos analyses où ils ont laissé, en sortant, autant de vides en forme de raccourcis.

Quand bien même auraient-ils supposément quelques référents communs, il serait d'abord urgent de cesser d'extrapoler le mental du groupuscule des assassins de Sadate à la totalité des forces issues du courant islamiste. Il faut ensuite accepter de ne plus enfermer les scrutins algériens de 1990 et de décembre 1991 dans les limites négatives de cet inusable « refus du FLN » que n'importe lequel des autres partis en présence aurait en fait pu exprimer. Cesser aussi de ne voir dans l'émergence islamiste qu'une conséquence de la dégradation des économies arabes : si, au même titre que les progrès de la démocratisation, le rétablissement des économies maghrébines doit être érigé, des deux côtés de la Méditerranée, en une priorité absolue, aucun de ces deux objectifs ne doit être considéré comme le moyen de transformer le vocabulaire des acteurs politiques. Comment ces dollars, dont on nous dit régulièrement que sous d'autres cieux, ils servent à « exporter l'islam » devraient-ils donc, au Maghreb, faire... disparaître les islamistes ?

Aider l'Algérie ? Bien sûr ! Mais telle qu'elle est et non, une fois n'est pas coutume, telle que nous souhaiterions qu'elle soit. Indispensable pour mille autres raisons, l'aide économique ne saurait être considérée comme un moyen de lutter contre ces « fils des nationalistes » que sont les islamistes de Tunisie, d'Algérie ou d'ailleurs. Alors que les pétarades d'une fugitive islamisation révolutionnaire dite « par le haut » n'avaient pas encore commencé à attirer puis à aveugler le regard occidental, un lent, profond — et très naturel — processus de reconnexion avec l'univers symbolique de la culture « précoloniale » travaillait déjà chacun des compartiments de l'univers social, culturel et politique arabe.

C'est l'ultime expression politique de ce processus que manifeste aujourd'hui l'arrivée aux portes du pouvoir des islamistes. S'il faut tenter d'évaluer leur capacité à poursuivre le difficile processus de construction d'une société de tolérance timidement initié par leurs aînés, un repère jalonne l'analyse : en terre arabe, s'il existe une ligne de démarcation entre les bons et les méchants, les démocrates et les anti-démocrates, les tolérants et les intolérants, les défenseurs des droits de l'homme, ou de la femme, et ceux qui ne s'en préoccupent que modestement, etc., elle a assurément un tracé plus sinueux que celui qui distingue les islamistes du reste de la classe politique.

D'abord bien sûr — puisque ce qui va ailleurs sans le dire va mieux ici en le redisant — parce qu'il ne suffit pas d'être islamiste pour être à la hauteur des promesses de tolérance que manient une large majorité des leaders de ce courant. Mais parce qu'il ne suffit pas non plus d'être anti-islamiste — comme Saddam Hussein ou Hafez al-Assad, ou ceux dont les prisons, au Maghreb, ne suffisent plus à contenir les opposants — pour faire automatiquement partie de ce supposé « camp démocratique » dont la classe politique occidentale accorde aujourd'hui le monopole de représentation à des régimes discrédités et à ceux de leurs opposants que la poussée islamiste a marginalisés.

Ensuite et enfin parce qu'on peut être islamiste et ne pas s'identifier au discours de rejet tenu ici et là par la périphérie radicale d'un courant qui est bien loin de s'y identifier. Il faudra bien finir un jour par s'en apercevoir. Le plus tôt serait le mieux.

Index

Table

BUSSIÈRE

GROUPE CPI

Composition Facompo, Lisieux
Impression réalisée par Bussière
à Saint-Amand-Montrond (Cher)
en octobre 2005.
Dépôt légal : octobre 2005.
N° d'impression : 053786/1.
Imprimé en France